MEMORIE DEL PRESBITERIO

EMILIO PRAGA

MEMORIE

DEL

PRESBITERIO

SCENE DI PROVINCIA

TORINO

F. CASANOVA, EDITORE

—

1881

22285
9/3/92

AD ANTONIO GALATEO

- -

AMICO MIO,

Quando Emilio Praga *ci leggeva la prima parte di queste sfortunate* MEMORIE DEL PRESBITERIO, *e ci offrìva di collaborare con lui e terminare il lavoro, non pensavamo che noi due, pochi mesi dopo, l'avremmo terminato senza lui*

Da molti anni il Pungolo di Milano*, che aveva acquistato la proprietà del racconto, lo prometteva ai suoi lettori · il* Praga *a lunghi intervalli lo ripigliava, aggiungeva alcune pagine nelle quali lasciava libero il freno alla sua immaginazione ineguale, splendida a lampi, al suo sentimento* profondo e malato, bizzarro e delicatissimo; ne ingarbugliava l'intreccio, poi, stanco, l'abbandonava ancora. S'illudeva sempre di arrivare al fine e non l'avrebbe forse finito mai. Quando mancò, era appena alla metà.

Il Pungolo dovendo finalmente pubblicarlo, il Direttore Leone Fortis, amico di Praga e mio, propose a me di finirlo. Non potei dirgli di no, ma l'impresa mi sgomentava. Il meglio dell'opera stava nelle delicatezze di sentimento e di forma, in quel particolare profumo di poesia e di affetto che Emilio solo possedeva. L'intreccio poi era una disperazione, una matassa arruffata donde non usciva alcun filo buono. Fu allora ch'io ti pregai di rileggere il manoscritto, e tu, più pronto ed immaginoso di me, cavasti in una notte quel filo ch'io disperavo trovare. La tua soluzione io ho adottato esattamente nella catastrofe del romanzo. Una sola cosa ci ho messo di mio, od almeno mi sono sforzato di metterci, ed è il ricordo dell'amico nostro, ch'io mi studiai di riprodurre, come l'avevo vivo davanti gli occhi, nella figura, nei discorsi, e nelle digressioni del protagonista Emilio.

Queste cose tu le sai, ma, se permetti, le ripeto qui, in fronte, licenziando il libro che l'amico Casanova volle ristampare tutto intiero, perchè le sappia anche il lettore. Io devo prima di tutto aver riguardo al nostro povero amico, perchè la gente non gli faccia colpa di peccati non suoi; poi mi preme dir le ragioni per cui m'indussi ad una opera che potrebbe a taluno sembrare irreverenza, ma soprattutto trovo giusto far conoscere ai lettori il serio aiuto che tu mi hai dato.

Tuo

Roberto Sacchetti

LE MEMORIE DEL PRESBITERIO

*J ai plus de souvenirs que
si j'avais mille ans*

I.

Fra parecchie centinaia di versi che, in mancanza di meriti più assoluti, ebbero incontestabilmente quello di sciogliere per bene lo scilinguagnolo alla sonnolenta critica letteraria del *bel Paese*, v'hanno due componimenti sovra cui piovve con rara abbondanza la lode: la lode che è per l'anima di un autore ciò che è pei fiori la pia rugiada dell'alba.

Uno di quei componimenti aveva nome il *Professore di greco*, l'altro portava il titolo che sta in cima di queste righe.

Senza ch'egli ripudii gli altri suoi figli, è naturale che questi due sieno i prediletti del poeta.

Guardate il sorriso trionfante della madre di cui vi prendete nelle braccia e accarezzate, ammirando, il bambino; per poco ella si ristà dal fare altrettanto con voi.

1

Per me, se me ne fosse data licenza, non indugerei un momento a rispondere con baci in fronte alle indulgenze accordate a quelle mie strofe. Tanto più che, oggidì, le creature che si commovono un po' ancora alla poesia sono le donne, e le donne belle in ispecie.

Ma l'esercizio di siffatti rendimenti di grazie non è concesso in questa valle di frutti proibiti. Forse provvidenzialmente: lo scambio delle gentilezze e delle cortesie diventerebbe troppo generale, e la musica di baci finirebbe per assordar di soverchio la gente d'affari.

Però baciar col pensiero non è, che io mi sappia, proibito. Ed è un bacio morale che io intendo appunto inviare con queste semplici memorie, come un ringraziamento a quelle poche anime appassionate che forse, nelle ore men gaie, si ricordano ancora del mio vecchio professore e del mio vecchio curato — due scheletri, adesso, amendue.

Semplici memorie; è la giusta parola.

Cominciano e finiscono in un paesello delle Alpi. Il povero sant'uomo e il suo presbiterio, un medico e una farmacia, un sindaco e la sua storia... — Ecco tutte le mie scene e tutti i miei personaggi.

Nulla è grande, nulla è piccino; il cuore ne è la misura; e un po' del mio è restato lassù in quei boschi, fra quelle pareti bianche, in mezzo a quel beato silenzio; lassù dove furono prima pensate queste pagine.

Epperò, chi volesse trovarci altra cosa che un po' di cuore non legga. — So di alcuni, i quali di quel po' si accontenteranno.

II.

Molti anni, ciò che vuol dire molte sciagure, sono passati dal giorno in cui bussai a quella porta.

Compivo i venti, avevo la valigia del pittore sulle spalle, e un buon angelo mi guidava — un angelo che adesso chi sa dove è andato a nascondersi. Allora lo vedevo e sentivo; splendore di cielo, verzure di convalli, scroscio di torrenti, belate di mandre, tutto brillava, profumava, cantava per la presenza di lui; e sul nostro passaggio gli atomi della natura si animavano al contatto delle sue ali per parlar meco di arte e di gloria.

Quel giorno la conversazione era cominciata al primo nascere del sole, e aveva continuato senza interruzioni per tutta la strada.

Epperò come fui vicino al villaggio di Sulzena, la stanchezza delle gambe prevalse. Si fece silenzio.

Tramontava il sole, e pensavo a mia madre; due tra le infinite cose da cui germina la umana tristezza.

Essa veniva lentamente impossessandosi di me, ma dolce, quasi voluttuosa, come quella che conduce alle lagrime, di cui parla Virgilio — *quædam flere voluptas.*

E forse le lagrime erano lì per sgorgare, quando la recrudescenza della fatica diede nuova autorità alle gambe.

Furono questi poveri stinchi a farmi accorto della presenza del villaggio.

Alla solita strada polverosa, soffice e piana come il pavimento di un gabinetto principesco, era successo un selciato di pietre druidiche, sul quale, a

non inciampare. vi giuro che o bisognava avervi
camminato appena fuor delle fasce, o aver compiti
molte volte i sette anni.

Debbo alla luna, che in quel momento era venuta
a far capolino, ed a un mio talento ginnastico se
non mi ruppi il collo, io che sette anni non li avevo
ancora compiti tre volte.

Non è necessario descrivervi il villaggio di Sulzena.

Voi lo conoscete già, per poco che abbiate fatta
conoscenza con alcuna delle nostre montagne. Cotesti
villaggi si somigliano tutti. Case, o meglio capanne
(baite) ad un solo piano, coperte di schisto nero, e
alla parte del nord, di muschio, al cui verde opaco
spesso viene a sposarsi quello trasparente del capri-
foglio avviticchiato alle pareti. Porte basse e larghe,
attraverso alle quali appare il cortiletto ingombro
di gerle, e quasi sempre ombreggiato da un pometo
che in maggio si copre di fiori bianchi e rosa; bot-
teghe, che in un'ora di esame non arrivereste a
indovinare che cosa vendano, se non esistessero al
disopra e ai lati certi orrori di ortografia scritti a
color crudo e per lo più turchino.

Poi il monumento comunale, la fontana perenne,
formata di quattro lastre di pietra appena dirozzate,
e dove tre volte al giorno vanno a dissetarsi in
famiglia tutte le giovenche del vicinato.

E se il villaggio possiede un'osteria siete certi di
riconoscerla a una insegna gigantesca colla parola
Albergo sovrapposta a un uscio, cui si ascende per
tre o quattro gradini, dietro il quale si cela umilmente un locale umido sì ma pulito, tappezzato di
pentole e di stagni e dove mancano infallibilmente

Ero già passato davanti a buon numero di case, e per quanto avessi guardato e guardassi in su ed in giù a destra ed a sinistra, l'insegna non appariva, che mi potesse far sperare in una cena ed in un letto.

Gli abitanti erano già rientrati, vedevo le finestre illuminate dal riverbero dei focolari; non avevo ancora incontrato di vivo che un ragazzotto ed un cane. Il primo, spalancati due grandi occhi azzurri mi aveva contemplato in silenzio per un minuto, poi s'era dato alla fuga dietro una siepe; il cane aveva abbaiato sommessamente come uno che non sappia di aver torto o ragione, poi anch'esso via nella macchia.

Proseguii tra quelle case dalla faccia inospitale, coll'animo alquanto turbato.

Nei pellegrinaggi artistici non è, del resto. cosa difficile di trovarsi nell'imbarazzo in cui avevo a quell'ora tutta la probabilità di essere caduto.

In uno dei libri sacri dell'India sta scritto:

« Se ti nasce una figlia dàlle un nome sonoro abbondante in vocali, e che sia dolce alle labbra dell'uomo ».

L'egual consiglio si sarebbe potuto dare a quei filologhi dabbene che imposero il nome ai villaggi. Quando si viaggia senza una meta prestabilita, all'unico scopo di veder uomini e cose, quante volte non accade di prendere a destra piuttosto che a sinistra, di salire invece che di scendere, per l'unica ragione che avete preferito, leggendo sulla vostra *Guida*, fra i molti che vi stanno intorno il villaggio dal nome più seducente, dal nome più *dolce alle labbra dell'uomo?* Ma, ahimè, siccome è più che possibile che una Bice, o una Amina, o una Adele, siano fanciulle meno perfette di una Giovanna, di una

Gregoria, o di una Anastasia, del pari accade che
il più bel nome intitoli spesso la borgata meno simpatica, e, ciò che è più triste se vi arrivate a notte,
una borgata senza osteria.

E tale mi aveva l'aria di essere il villaggio di
Sulzena quando, giunto all'inevitabile fontana, mi
scontrai finalmente in un uomo.

III.

Curvo sul bacino da cui esalava un acre odor di
sapone, prova che quella sera le comari avevano
fatto il bucato, egli teneva le braccia, nude fino alle
spalle, nell'acqua biancastra, e pareva assorto in
qualche occupazione di grave momento, giacchè non
si accorgeva o non curavasi del largo zampillo che,
cadendo dall'alto, gli spruzzava copiosamente la testa.

Stavo per rivolgergli la parola, quando si sollevò,
e, traendo dalla fogna un cencio infilzato a un ba-
stoncino, esclamò, con quel timbro di voce proprio
dei lavoratori della montagna:

— Una calza! e poi si lagnano della povertà, e
poi pretendono trovar l'acqua pulita alla mattina!
Come si fa, se lasciano otturarsi il pertugio.... persino dalle calze! O che gente!

— Brav'uomo, gli dissi io, sapreste indicarmi
l'osteria?

Si volse e la prima cosa che osservò fu — indovinate che cosa? — il mio bastone.

— Oh! che magnifico corno! ma questo era il
papà di tutti i camosci!

E senza complimenti, me lo prese dalle mani, e
si diè a contemplare l'alpestre ornamento del mio

muto compagno di viaggio colla compiacenza con cui una forosetta avrebbe vagheggiato un monile.

— Non ve ne sono mica sulle nostre cime di camosci così grossi; è forastiero, vossignoria, non è vero?

— Sì, siamo d'altri paesi tant'io che il corno. Veniamo da lontano, epperò abbiamo bisogno di mangiare e di dormire; se dunque voleste aver la bontà di indicarci...

— D'osteria propriamente non ce n'è; ma c'è di meglio.

— Che?

— C'è il curato!

— Ma che c'entra il curato coll'osteria?

— Se c'entra! La mi dica, sarebbe cosa decente che, per mancanza della locanda, non si potesse alloggiare un cane in paese?

— È giusto. Ed è il vostro curato che ha messo insegna?

— Oh! insegna, no; un prete, le pare? E poi che importa l'insegna; quelli che girano il mondo non le mangiano mica le insegne delle osterie, nè vi dormono sopra. — L'importante è che trovino un desco ed un letto; ciò che si trova dal signor curato per l'appunto. E, soggiunse, ammiccando furbamente gli occhi, non si paga niente.

Quest'ultima informazione mi decise. Già mi aveva ripugnato l'idea di dormire sotto il tetto di un prete: quella di dovergli restare debitore di un servigio mi fece cavar dalle tasche la carta geografica e andarvi in traccia di un'altra possibile meta.

Il lettore non si scandalizzi di questa mia istantanea ripugnanza, apparentemente, solo apparentemente, volterriana.

A quell'età non era, come non fui mai, un cattolico fervente; bensì mi trovavo ancora un cristianello per il quale l'accettar l'ospitalità da un uomo di chiesa, non sarebbe sembrato certamente un derogare ai propri principii religiosi e alla umana dignità. Tanto più con quell'appetito e con quella stanchezza in corpo!

Ahimè! la ricusavo appunto, stavolta, perchè già in due altre occasioni, dacchè mi aggiravo su per quei monti, l'avevo accettata, e con mio inenarrabile danno.

Non vi conterò quanto mi era capitato la prima volta; fu una tragedia che si svolse nelle tenebre di un granaio, fra due lenzuola di *colore oscuro* e... ciò resterà un eterno mistero.

La seconda volta il mio ospite era stato un prete giovane, dalla faccia color scarlatto, gran bevitore, gran cacciatore e, per conseguenza, gran parlatore. La sua vita domestica e i suoi sproloquii, non rammento se più degni di Casti o di Aretino, erano riusciti a togliermi dall'animo tutto il bene che le aveva fatto, in quindici giorni, la semplice natura.

La possibilità di ricadere nell'afa ammorbata di un sacerdote di simil genere, mi spaventava quasi peggio delle memorie più materiali che serbavo dell'altro.

Chiesi dunque al mio interlocutore, in quanto tempo avrei potuto raggiungere un vicino villaggio, di cui dovetti ripetere più volte il nome ch'ei non conosceva che in dialetto; dialetto spicciativo che faceva un monosillabo di una parola composta di almeno una dozzina di lettere.

— Eh! non meno di tre ore, a camminare spedito; e c'è a due terzi di strada un torrentello che non le consiglio di guadare di notte.

— Non importa; questo buon bastone cornuto m'ha, come lo vedete, aiutato a guadarne altri, e di molti. La strada è questa?

— Sì, fino alla chiesa che è là, a due minuti dal paese, poi si volge per la strada più stretta, a mancina: quella che scende, costeggiando l'orto del signor curato.

— Vi ringrazio: state sano, voi e tutta la vostra famiglia.

— Vengo anch'io fino alla chiesa; di la le indicherò meglio.

— Benone.

E ci incamminavamo

Le case erano già chiuse quasi tutte. Avean l'aspetto più povero di quelle vedute nei dintorni; ma in compenso la strada era di una insolita pulitezza. Alti gruppi di quercie si intercalavano bizzarramente qua e là all'abitato, coprendo le tegole di verzura e di ombria; alcune rocche di camino andavano a nascondersi nel frondame; lì, la casa e l'albero non erano vicini, parevano abbracciati.

La luna illuminava quei casti amplessi quasi affettuosamente, ed io vedeva, nell'umida penombra, di così cari *motivi* di pittura che me ne piangeva proprio il cuore a staccarmene.

— Dite, il mio brav'uomo, oltre il curato, non conoscete nessuno che possa offrirmi, pagando, una materassa? Una materassa mi basta e, quanto al mangiare, sono ancor meno difficile.

— Per carità! Nessuno, nessunissimo; tutta povera gente che a voltarli colle gambe in aria non cade in terra la croce di un quattrino. I più agiati, in questa stagione, sono *all'alpe:* si dorme nelle stalle o a ciel sereno... s'immagini.

— E fra due ore, troverò alloggio all'osteria di...

— Ne può esser certo: la Gertrude, la locandiera, una diavolaccia che ha cinque figlioli sulle spalle, apre ai forestieri di notte: scenderebbe per servirla, anche se si trovasse in punto di morte.

— Ditemi un po' che facevate intorno alla fontana?

— Le dirò: non posso andar a casa se prima non mi sono assicurato che nulla impedisce il corso dell'acqua. Per esempio, veda, stanotte la voleva esser bella, se non c'era io a liberare da questa calza il pertugio. L'acqua inondava la strada, e domattina per le giovenche, restava nel bacino quella del bucato.

— Siete dunque impiegato municipale?

Spalancò gli occhi, come se gli avessi parlato chinese, poi rispose:

— Io sono il campanaro. È per questo che non posso andar a casa senza aver visitata la fontana.

Lo strano ravvicinamento del lavatoio col campanile era fatto per destare la mia curiosità. Ma l'altro non mi fece sospirare, e continuò:

— Il signor curato non dimentica mai, quando passo nella sua stanza per metter la spranga alla porta, dopo il rosario, di domandarmi se ci sono stato « Baccio e il pertugio? » oppure soltanto « Baccio? »... Sissignore, va tutto bene. È come un'altra *terza parte*...

— Il curato copre dunque anche le funzioni di sindaco?

— Il sindaco! Si starebbe freschi se si aspettasse una provvidenza dal sindaco...

Eravamo usciti dal villaggio, e già appariva non lontana la parete bianca del presbiterio, e più in su, dietro la cima di un boschetto, la freccia aguzza e scintillante del campanile.

La notte era splendida e calma; si sarebbe potuto leggere, al raggio lunare, la più microscopica scrittura di donna, e, tranne il gorgheggio sommesso di un usignuolo, che rompeva l'aria a intervalli, per l'ampia vallata non errava che il suono de' miei passi e di quelli del campanaro che mi seguiva zoppicando.

L'idea del sindaco pareva averlo messo di cattivo umore: giacchè la sua fisionomia sincera e gioviale erasi alquanto rannuvolata, come sotto la preoccupazione di qualche cosa di triste.

A un tratto, un rumore di passi accelerati giunse dalla parte della chiesa, e apparve davanti a noi una strana figura umana che gesticolava, venendoci incontro in mezzo alla strada.

Quando ci fu a due passi, diede in uno scroscio di pianto, e mettendo le mani sulle spalle della mia guida, non accorgendosi forse nemmeno di me:

— La muore, Baccio, la muore proprio! Oh! la mia povera Gina... la mia povera donna... così giovane... così...

Le lagrime lo soffocavano. Il campanaro era lì come impietrito. Poi disse:

— Ma se la stava meglio! Anche il signor curato cominciava a sperare...

— Sono stato adesso a chiamarlo. Ah! Baccio, Baccio, la muore!...

E proseguì verso il villaggio brancolando.

Era un giovane sui trent'anni, alto e tarchiato Egli aveva detto quelle parole con accento di così profonda desolazione, che me ne sentivo tutto atterrato. Nulla infatti di più straziante che lo spettacolo del dolore negli organismi sani e robusti.

Ci aveva lasciati appena. che il curato apparì Sembrava assai vecchio, e accelerava il passo con visibile stento. Aveva la larga fronte coronata di capelli bianchissimi; illuminati dalla luna, li avresti detti un'aureola. Non so quale solennità traspariva da tutta la sua figura. Alla commozione che già mi dominava, si aggiunse, al suo apparire, una specie di vaga dolcezza.

Mi tirai da un canto, levai il cappello e gli fissai gli occhi nel viso.

Ma nel suo pensiero non esisteva certo, in quel momento, che una immagine; quella della morte còn cui stava per trovarsi a colloquio. Egli meditava la parola che le pone sulla fronte il sorriso.

Passò in mezzo a noi, colla testa fissa al villaggio, senza vederci.

— Brav'uomo, dissi al campanaro; ho mutato avviso. Mi fermo qui: dormirò dal vostro curato.

Il viso del sagrestano si illuminò.

— Che buona idea, signor mio, che bel pensiero, esclamò con quella sua voce strozzata che parea voler farsi ad ogni costo gentile per ringraziarmi. E soggiunse, mettendomi le mani ai panni:

— Dia a me la valigia, dia tutto a me; la si metta in libertà; che bella improvvisata per don Luigi! questa sera ne aveva proprio bisogno. Se sapesse, signor mio, come ritorna sbigottito il pover'uomo dalle visite ai moribondi! ne perde l'appetito per una settimana.

— Badate, gli diss'io cedendogli il mio piccolo bagaglio; badate che spenderò la vostra parola; chè senza le informazioni che mi avete fornite, non avrei osato certo.....

— Ma che dice! vedrà che accoglienza le sarà fatta; e ne avrò anch'io la mia parte, per avervi guidato.

Tutto il contegno del bravo montanaro rivelava un non so che di tanto sinceramente cortese che arrivati che fummo alla porticina del presbiterio, ogni trepidazione , ogni ripugnanza mi avevano lasciato: mi pareva quasi che quell'uomo e quella casa li avessi conosciuti e frequentati già da gran tempo.

IV.

Uno squillo sottile e prolungato rispose allo scrollo potente che il sagrestano, avvezzo alle corde del campanile, aveva dato all'esile cordicina verde che uscia da un buco dell'imposta. Pochi istanti dopo, un rumor di passi si avvicinò e una vocina fievole chiese chi fosse

— Son Baccio.

E la porta si aperse.

Cesare entrando in Roma colle spoglie delle Gallie, non aveva certo l'aspetto più altero e più trionfante di quello di Baccio, quando, penetrato nel corridoio e fatto un sorriso alla vecchierella che ci aveva aperto, disse a me:

— Resti servito!

La prima sensazione che provai, fu di un profumo d'incenso diffuso, misto a quell'odore senza nome che emana dalla umidità delle pareti nelle case poco abitate.

La vecchierella che precedeva col lume, parlava a bassa voce colla mia guida; giunta in fondo al corritoio che dava in un cortiletto, si arrestò, mentre l'altro proseguiva col bagaglio e poichè le fui giunto vicino, alzò con ingenua famigliarità la lucernetta fino all'altezza del mio naso; allora vidi due occhietti lucidi e profondi che mi fissavano con una curiosità che sapeva di investigazione e che si sciolse in un lungo sorriso immobile.

— Santa Caterina! sclamò poi precedendomi di nuovo attraverso i ciottoli erbosi, se l'avessi saputo prima, avrei almeno allestito qualche cosa che fosse degno di un signore!

E dirigendomi la parola:

— Siamo in certi paesi, illustrissimo, che si ha proprio vergogna quando arriva un forestiero come lei. Basta, Don Luigi le spiegherà meglio ogni cosa. Ecco, s'accomodi qui: questo è il suo gabinetto.

Ciò che la ingenua Perpetua chiamava il gabinetto del signor curato, era uno stanzone ampio ed alto, così che avrebbe potuto servire per una festa da ballo. Sedetti sopra una specie di divano coperto di una pelle color caffè, arrestata all'ingiro da piccoli bottoni d'ottone, e mi diedi ad osservare. Davanti a me un largo tavolo quadrato, in vecchio noce annerito, appoggiato a quattro gambe solide come colonne, dominava da protagonista la scena. Per metà coperto da un tappeto di panno verde grossolano, sopportava due alte cataste di registri legati in cuoio, senza dubbio i registri delle nascite e delle morti, questa *scrittura doppia*, questa *Entrata ed Uscita* di un commercio senza soluzione di continuità, per quanto possano mutare i tempi e gli avvenimenti.

Accanto ad essi il breviario aperto pareva annoiarsi aspettando la ripresa della lettura interrotta, in compagnia di un gran calamaio di piombo da cui aveva l'aria di spiccare il volo una coppia di penne d'oca; appoggiato al calamaio un rotolo di carta azzurrognola coperta di fitti e grossi caratteri. A

destra del tavolo nereggiava gettando un'ombra lunga
e tagliente sulla parete, una libreria.

Le novanta volte su cento voi potete giudicare del
carattere, delle abitudini, degli affetti di un uomo
dal frontispizio dei volumi schierati nella sua libreria.
E ciò sopratutto in quelle silenti dimore delle creature pensanti, sepolte nella monotona vita della provincia, case bianche che serbano una tal aria di
modesta aristocrazia, se così è lecito esprimermi, in
mezzo al bottegume ed al borghesume; oasi strappate
dagli uragani della vita al giardino della civiltà,
dalla civiltà dimenticate, ma che il viaggiatore filo-
sofo saluta e benedice talvolta colla pia gioia del
nomade nel deserto. Là non troverete le cento nullità
letterarie di cui si pasce ogni giorno la curiosità
cittadina; il libercolo, l'opuscolo di circostanza, il
volume a margini sterminati, ultimo portato della
speculazione libraria, li cercherete invano sotto ai
vetri puliti di quegli scaffali che racchiudono tutte
le memorie di un passato, pane quotidiano di spiriti
che, per lo più tuffati in un ozio meditativo, non
hanno bisogno di nuovi sapori, di sali più corrobo-
ranti per innalzarsi al disopra delle monotone realtà
che li circondano.

La libreria, la famiglia rispetto alla quale non
siete nè figlio, nè padre, ma che vi può dare tutte
quelle gioie che stanno chiuse in queste due parole,
interrogatela quando è patrimonio dell'uomo solitario,
dell'uomo esiliato dalla società e che ha in essa
creata la società sua. Lo conoscerete

I libri del curato di Sulzena erano pochi ma eletti.

Fatta astrazione delle numerose edizioni della
Bibbia, dei suoi dizionari e commenti, delle opere
dei Santi Padri, e dei numerosi volumi di giuri-

sprudenza ecclesiastica, suppellettile indispensabile, parecchie file di volumi legati più modernamente, e taluni con una tal qual civetteria più da gabinetto di dama che da studio di prete, annunciavano nel mio ospite una coltura elevata e gentile.

Ciò per la scelta così come pel numero. I classici da Omero a Menandro, da Tucidide a Plutarco, rappresentati nei più profondi e nei più fantasiosi; i nostri poeti, un bel Dante coi commenti del Portirelli, legato in oro, e l'indice della *Divina Commedia* del Volpi; un Boccaccio, — ad edizione non *purgata*. — i poeti minori, l'Ariosto. Notai l'assenza di messer Francesco e del Tasso.

Manzoni chiudeva l'augusta falange. In fatto d'arti figurative, il curato non era nè troppo eclettico nè troppo avanzato. Alle pareti pendevano dentro cornici che un giorno erano probabilmente dorate, quattro larghe ed alte *stampe* rappresentanti *il giudizio di Salomone*, *Giuseppe venduto dai suoi fratelli*, *Alessandro che taglia il nodo Gordiano*, *e il sacrifizio di Abramo*. Insieme formavano come una selva che tu avessi veduta attraverso alla nebbia, irta di braccia ritorte, ad angoli acuti, retti, ed ottusi, di gambe ravvoltolate, raggrinzate, incrocicchiate, di torsi scabri più della corteccia del pino, di movenze in aperta congiura contro l'equilibrio, di panneggiamenti più complicati e più indecifrabili che non siano per me e forse anche per voi i logaritmi. Il barocco aveva detta l'ultima parola in quelle quattro composizioni evidentemente uscite da un'unica fantasia; e lì come incastrati nella parete umidiccia, sopra ampie scranne a forme rettangolari, erano tale una stonatura da mettere i brividi al più volgare

Sul camino, piccolo in confronto all'ampiezza della
stanza, sorgeva sotto il suo berrettone di vetro un
pendolo tutto incrostato di conchiglie marine d'ogni
specie e d'ogni colore, che nell'insieme formavano
un disegno assai somigliante alla rosa dei venti. Ai
lati due vasi di ardesia, lunghi lunghi, di forma
conica, ricolmi di carte fuor d'uso, di vecchi astucci
da occhiali, e di fuscelli di malva appassita, pieni
di polvere.

Evidentemente il curato non prodigava le sue affe-
zioni domestiche al di là della libreria.

La fantesca ritornò sull'uscio donde era uscita.
Il cigolìo mi fè volgere la testa: ella pareva volermi
dire alcun che e non averne il coraggio. Dopo aver
titubato alquanto:

— La scusi, balbettò, la scusi tanto; mi trovo
colla credenza vuota come la chiesa alla mezzanotte.
Domani sì, ce ne sarà della grazia di Dio... adesso..

— Oh! la mia cara donna, la interruppi, vi pare?
Fatemi friggere due ova, e datemi un boccone di
cacio, oppure un tozzo di pane in una scodella di
latte: sono i cibi che preferisco e non voglio assolutamente che vi diate altre brighe. Anzi, se mi
permettete, verrò in cucina ad aiutarvi.

— Oh! che buon signore! già l'ho detto subito
dalla faccia. Venga pur qui, se non vuol star solo
finchè torni don Luigi; quanto ad aiutarmi (e si
diè a ridere fra i denti) non è mica caso.... se ne
avessi bisogno, c'è Baccio.

— A proposito, sclamò il campanaro quando en-
travamo in cucina; mi scordavo di dirvelo, o Mansueta; sapete dov'è il signor curato?

— Lo so io? stavo annaffiando quel po' di piselletti
che sembra siano stati cospulati dalle streghe, che

2

Dio mi perdoni.... che non vogliono dar segno di
vita...; sento il campanello, vengo dentro, e don
Luigi non c'era già più.

— È dalla Gina che muore.

Per poco la povera Mansueta non si lasciò cader
di mano la scodella che stava per collocar sui fornelli.

— Santa Caterina beatissima! Dite da senno? Ma
come mai? non è possibile... con quel povero bravo
suo marito... che l'ho visto nascere! e con quella
povera creatura di bambina! lasciarli soli... è impossibile, è impossibile. Baccio, vedrete che Don Luigi non
la lascierà morire così.

Il sagrestano parve star sopra pensiero alcun
poco, e,

— Non so se farò bene o male, disse come parlando a sé stesso; è notte alta. Ad ogni modo è giusto
che tutti lo sappiano e preghino.

E uscì frettolosamente da una porticina che metteva all'aperto.

Io mi accovacciai sotto l'ampio camino della cucina
ed attesi, osservando la fantesca occupata intorno
alla mia cena. Le sue labbra avvizzite e cadenti
cominciarono allora a muoversi con una velocità
che andava sempre crescendo. Il burro che bilbiva
nella scodella accompagnava col suo capriccioso scop-
piettio gli *ora pro ea*, gli *ave* e gli *amen* che di
tanto in tanto sfuggivano alla preghiera mentale
della vecchierella. Tutto era silenzio nel resto. Io
guardava il tizzone ardente da cui spiccavansi le
faville come anime liberate dalla materia, e pensavo
a quella della povera montanara che in quel momento
faceva forse lo stesso.

D'improvviso uno squillo, forte e nitido, cadde dall'alto, e rimbombò nell'aria tragicamente.

— Che è questo?

— E Baccio che suona l'agonia per la Gina. E abbandonati i fornelli, e accostatasi ad una scranna, la povera creatura cadde ginocchioni.

O memoria della mia giovinezza!.... Contemplai per un istante quella testa grigia, e involontariamente piegai un ginocchio al suo fianco. Fu in questa posizione che trovommi in casa sua il curato di Sulzena.

V.

Mi rivolsi al suono dei suoi passi, mi rizzai, e gli mossi incontro. Egli si fermò, mi stese ambe le mani, e, prima ch'io trovassi una parola, mi disse:

— Quanto vi sono grato di non aver proseguito il vostro viaggio. Oh! non l'avrei perdonata a Baccio, se vi avesse lasciato partire.

E data un'occhiata intorno per la cucina, si rivolse a Mansueta, che si era pur alzata al suo arrivo e che lo stava contemplando come una imagine santa.

I rintocchi dell'agonia continuavano.

— Sei colta all'improvviso, non è vero, poveretta? Hai detto a questo signore l'abbondanza dei nostri paesi?

— Oh! è un signore alla buona. Ed ecco le ova che ha desiderato; fresche come l'acqua del pozzo.

— Una cena simile! disse il curato: e abbassando la voce, soggiunse tristamente:

— E accompagnata da musica siffatta.

Mi introdusse dipoi nel tinello dove la vecchia fante non tardò a depormi innanzi, sopra un tovagliolo bianchissimo, le ova ed il pane accanto a una bottiglia di vino.

Il curato, cui non avevo ancora avuto modo di rivolgere il mio discorso tranne che a monosillabi, mi sedette vicino e, pur ripetendomi le sue scuse per la grettezza della cena, mi guardava con quell'occhio interrogativo, sebbene meno adamitico, che aveva veduto, al primo entrare, sotto la cuffia di Mansueta.

Il curato poteva contare sessantacinque ai settant'anni; ma la tarda età appariva in lui più che dalle rughe del viso, ch'era ancor fresco e rubizzo, da una cert'aria di stanchezza grave, direi quasi solenne, che circondava tutta la sua persona. Avea la fronte altissima e singolarmente convessa: la fiamma della lucerna vi poneva una larga pennellata lucente che illuminava una pelle così rosea e così tersa che si sarebbe detta di un fanciullo. Poche ciocche di capelli, bianchi come la neve, gli circondavano la testa; ma così fini, così vaporosi, che parevano sospesi nell'aria, e gli incorniciavano il viso meglio di una chioma di vent'anni. Il naso aquilino e finissimo pareva di un gentiluomo spagnuolo; la bocca, da cui apparivano ancora, a dispetto degli anni, due file intatte di denti, era forse un po' larga in confronto alla perfezione dei lineamenti che la circondavano; ma il difetto era cancellato da due piccole pieghe ai lati che le perpetuavano il sorriso: aggiungete due occhi limpidi e profondi, l'abito modestissimo, ma di nitidezza inappuntabile, una mano quasi femminile, una voce dolce e nel tempo stesso piena di vibrazioni, l'*erre* di una duchessa — e vi spiegherete le parole che rivolsi al mio ospite, assaporando le ova eccellentissime del suo pollaio

— Signor curato, gli dissi, davvero che, se non avessi coscienza della strada che' ho percorso, crederei che qui non sono in Italia. La stranezza del modo con cui oggi ho dato tregua al mio viaggio, la cordialità che mi circonda, il vostro aspetto, tutto mi farebbe supporre d'essere in una di quelle case della Tebaide, dove son vive tuttavia le memorie bibliche, e gli uomini santi le respirano ancora, e le ripetono con antica sapienza .

Il vecchio mi interruppe:

— Tebaide, sì, è una Tebaide questa valle: ma soltanto per la solitudine; quanto al resto, sono troppo indegno del paragone. — Questo pezzetto di cacio.. assaggiatene.. è dei nostri pascoli. — Ed è per questo che l'ospitalità è qui, oltre che è un dovere, un bisogno, una vera consolazione.

Una malinconia velata, ma che tentava nascondersi invano, suonava nella voce del prete.

— Pochi viaggiatori, m'immagino, passeranno per questi gioghi, diss'io. E son così belli! Da quindici giorni vado errando quassù, e non so come mi reggerà il cuore a riveder la pianura. Vorrei poter vivere sempre in alto, in quest'aria pura, in mezzo a queste scene sublimi; esse valgono, ve ne assicuro, signor curato, tutti gli svaghi e tutti gli agi della città. Io vi invidio..

— Oh! non ditelo! Voi siete giovane, e, alle vostre parole mi sembrate poeta — siete pittore, del resto, e .. *ut pictura poesis*, gioventù e poesia mostrano il lato bello di ogni cosa, e il lato brutto e triste lo nascondono. Pensate la vita di un uomo che è solo da quarant'anni'... senza un'anima con

cui ricambiare un'idea!... le scene della natura, voi
dite; le amo anch'io, le ammiro, le adoro, sono le
mie confidenti, la mia società... ma sono mute, non
mi rispondono; e si ha bisogno di chi risponda quando
si interroga, quando si pensa, quando si soffre.

Alzai la faccia: quella del curato si era fatta più
pallida e pareva che un velo gli fosse sceso sugli
occhi. Incontrando il mio sguardo si ricompose, e
mutò tono alla voce, forse pentito di quelle parole
che implicavano quasi una confidenza a un uomo
conosciuto da pochi minuti.

— Pochissimi viaggiatori, pochissimi; e viaggiatori della vostra condizione ancor meno. Di solito
è qualche mulattiere ritardato dalle intemperie che
viene a chiedermi un posto per sè e per le sue mule;
e' mi dà le notizie delle borgate ove ha corse le
fiere e udito parlar di politica all'albergo o ai caffè.
Oppure son compagnie di tagliapietre che vanno a
esercitare il loro acerbo mestiere sulle cime; povera
gente onesta che di solito ha girato molto il mondo,
e avuto avventure. Ecco i miei ospiti. Capirete come
io sia riconoscente a voi...

— Signor curato, lo interuppi, io sì che debbo
essere riconoscente a Baccio ed alla mia buona stella
di avermi condotto in questa casa. Ah! la gioventù
e la poesia non sono per me tutto riso e splendore;
perchè sono giovine ed artista, sono pieno di dubbi
e di sconforti, e perchè sono, o meglio sento che
sarò un giorno poeta, l'anima mia assorbe già, insieme colle bellezze, tutti i lamenti e tutti i terrori
della natura.

Salendo al villaggio, signor curato, mi sentivo
triste come un moribondo; pensavo a mia madre,
stranamente. Avevo anch'io bisogno di trovar chi

mi rispondesse, chi mi capisse!.. bevo questo bicchiere alla salute di Baccio, di quel bravo uomo che mi ha condotto davanti a un'anima buona e bella come la vostra!

Prendendo il bicchiere speravo vincere o almeno sviare l'emozione che sentivo salirmi dal cuore alla faccia. Fu invano: io stavo sotto un fascino: l'amicizia che doveva legare dappoi il giovine pittore al vecchio curato aveva già stese le ali sulle nostre teste.

Alle mie parole egli si era alzato, e, con un gesto che avea del fratello insieme e del padre, mi prese le mani, mormorando:

— Dio vi benedica!

In questo, Mansueta entrò con una candela accesa e mi disse

— Quando desidera, il letto è pronto.

Persuaso che fosse l'ora in cui conveniva ritirarsi, strinsi la mano un'altra volta al mio nuovo amico, e, a malincuore, giacchè non sentivo più nessuna stanchezza, seguii la fantesca.

Ella mi fece salire una piccola scala dai gradini larghi e lisci, e mi trovai davanti a un letticciuolo pulito, fiancheggiato da un ampio seggiolone che aveva l'aria di aver passato i begli anni della sua gioventù fra la musica e l'incenso del coro.

Del resto la camera destinatami non offriva molta materia di analisi. Una sedia coperta di paglia stava al posto del tavolo da notte, coll'inevitabile bicchier d'acqua e il mazzo dei zolfanelli; in faccia al letto, sotto la finestra, un tavolino quadrato con una gamba più corta delle altre, pareva un ballerino nell'atto di spiccare la *pirouette;* una fila di quadretti coprivano in simmetria le pareti bianchissime:

sotto i vetri punzecchiati dalle lentiggini delle mosche, riconobbi il Crisostomo, San Filippo abate, San Luigi Gonzaga, — litografie colorate con toni azzurri e rossi crudi e duri come gli scheletri che si trovano nelle sabbie dei tropici — brava gente che certo faceva le meraviglie di veder quel letto vestito a nuovo e me beatamente distesovi sopra.

Non era quella la camera che il curato offriva agli scalpellini ed ai mulattieri; non tardai a persuadermi che per me si era scelto il locale delle grandi occasioni, in cui chi sa da quanto tempo nessuno aveva dormito.

Nè può essere prova l'anedotto innocentissimo che mi piace contarvi, benchè affatto estraneo al soggetto. Prendo anzi quest'occasione per ripetere ch'io qui non scrivo un romanzo col suo principio, col suo mezzo, col suo fine, colle sue cause, il suo sviluppo e le sue conseguenze, e tutte le belle cose che si leggono nei trattati di estetica; ma bensì raccolgo impressioni di scene e di fatti, sensazioni di luoghi e di persone in cui mi sono scontrato e che, per un mero effetto del caso convergeranno, se mi si presta attenzione, a far cornice utile se non anche necessaria al soggetto doloroso che è la ragione di essere di questo studio.

Mi ero dunque coricato e riandavo col pensiero, già ondeggiante nell'atmosfera magnetica che precede il sonno, i casi della giornata. Macchinalmente i miei occhi erano fissi alla finestra chiusa, dalle fessure della quale penetrava un pallido bagliore di luna. D'improvviso mi parve che qualche cosa si movesse sul tavolino sottoposto, qualche cosa di nero, un volume o una scatola. Concentrai l'attenzione, trattenendo il respiro, e.... un sudore freddo mi coperse

dal capo ai piedi; era un berretto da prete che dondolava, che s'inchinava. che saltellava diabolica-
mente. Mi rizzai senza volerlo; il berretto, come se
mi avesse veduto o sentito, si arrestò; riposi la
testa sul guanciale, il berretto si diè a ballare di
nuovo.

Bisogna ch'io confessi che ho la disgrazia di credere a una quantità sterminata di cose a cui la
maggioranza degli uomini non crede; e voi sapete
l'influenza della solitudine sugli spiriti inclini al
soprannaturale.

A quell'epoca non avevo ancor letto Edgardo Poe,
ma avevo già tutti sognati i sogni di quell'anima infelice: e quell'amore pieno di voluttuoso sgomento
che mi lega adesso al poeta dell'*Inesplicabile*, mi
avvinceva già, inconscio, al mondo tenebroso delle
sue scoperte. Quel berretto magico che mi aveva
atterrito, cominciavo a osservarlo, col capo quasi
sepolto nelle coltri, collo sguardo immobile, col
respiro represso, eppure con una sorta di godimento
che somigliava a quello che prova il naturalista
quando, frugando nelle roccie, gli vien dato di scoprire una specie rara d'erba o di minerale. Ballonzo-
lando capricciosamente, a furia di piccoli sbalzi, il
berretto era giunto sull'orlo del tavolo, e il fiocco,
traboccatone, penzolava, coll'ondeggiamento mono-
tono e regolare di una campana.

Allora mi parve di udire ancora i rintocchi della
dell'agonia della Gina, e di veder la giovane morta
distesa attraverso la camera.

L'eccessiva stanchezza, gli avvenimenti impreve-
duti danno — coll'aiuto di una materassa di piume,
— di così fatte allucinazioni.

Il pallore di quella faccia, rovesciata sulle spalle, illuminava le pareti ; gli occhi , coperti di un velo diafano, come se i ragni vi avessero filato di sopra, spalancati e pieni di stupore, scintillavano fiocamente; del corpo, sepolto nella penombra, non scorgevo che indistintamente i contorni. A poco a poco svanirono del tutto, quasi assorbiti dalla oscurità: ma, in compenso, il lume del viso cresceva. Io l'affisava senza batter ciglio, per tema che, abbandonandola solo un minuto secondo, la visione dovesse sparire. La contemplazione indefessa la incatenava; ma fra essa e i miei occhi passavano dei globi e delle striscie di fuoco. Cominciavo a sentirli di soverchio stanchi, e già anche la faccia del cadavere si scioglieva: non ne restavano che due scintille sotto le palpebre; ma quelle due scintille (mi toccai per accertarmi che non sognavo) quelle due scintille non erano una illusione, quelle due scintille esistevano, quelle due scintille erano occhi veri, due occhi oscuri che mi guardavano, che mi guardavano fissi fuor da quel berretto infernale!...

Balzai nel mezzo della stanza e nello stesso tempo.... diedi in uno scroscio di risa.

Il berretto rotolò per terra, e il più leggiadro topolino del mondo mi passò tra le gambe.

— Ecco uno, pensai, ricacciandomi fra le coltri, uno che ha avuto più paura di me.

E spento il lume, e mormorato come il bramino:

Tutto non è che ombra vana!

mi addormentai per non risvegliarmi che a mattino inoltrato.

VI.

Una delle più care soddisfazioni che si possano provare viaggiando, è quella del ritrovarsi, dopo un buon sonno, in un paese dove si è giunti di notte e di cui, per conseguenza, non avete che una idea complessiva raccolta nel buio, e, il più delle volte, affatto opposta alla realtà. Giacchè tenebra vuol dire esagerazione, così nel bene come nel male, nel brutto come nel bello. Svanita la fatica del corpo e l'animo riposato delle memorie del cammino percorso, le novità che vi circondano par che acquistino attrattive maggiori. Uscendo dalla nuova camera o solo mettendo il capo alla finestra, l'aspettazione e la curiosità sono soddisfatte, comunque sia la scena che vi si affaccia, nel modo stesso che se foste davanti ad un quadro nel momento in cui l'artista ne toglie il lenzuolo che lo nascondeva. La porta e la finestra danno sull'ignoto; un passo, e voi sapete, d'improvviso, a che vi hanno condotto le tante leghe percorse; un'occhiata, e vi decidete a restare o rifare il bagaglio: — parlo a coloro che viaggiano — come si dovrebbe sempre viaggiare — senza meta prestabilita.

Ora la mia finestra dava sul giardino del presbiterio; un giardino ampio e solcato, sparso da viali di varia larghezza che si intersecavano ad angoli retti, dando altrettanti confini alle aiuole. In quegli angoli sorgevano, sovrapposti a rozze basi di mattoni dei vasi di limoni di straordinario rigoglio, le cui foglie si distinguevano, pel luccichìo, in mezzo a tutte le altre. Le viti sorrette da lunghi pali, erravano in tutte le direzioni, qui formando delle vie

coperte sotto cui intravedevo panche e tavole di
pietra scura, la abbarbicandosi ai muri che da due
lati facevano ala al giardino. La vegetazione era
splendida: maggio aveva fatto il suo dovere. Le
macchie dei fiori, gialli, rossi, turchini, bianchi,
viola, amaranto, si mescevano in pazza allegria colle
infinite gradazioni del verde dei legumi: peri e pruni
contorcevano i loro tronchi nodosi, avvolti completamente, come da un abito di festa, nei fiorellini
color rosa e color pavonazzo del rhododendron e della
glicina. Non saprei se fossero cresciuti per colmar
panieri o per comporre ghirlande. Ma quel che dava
l'intonazione a quel quadro di tutte le tinte eran le rose.
Avresti detto che quella notte ne fosse venuta una
nevicata: ce n'erano dappertutto, in alto, in basso,
sulle pareti, in mezzo alle viti, sui tetti, per terra.
Il dolce fiore di Venere non crebbe mai con tanta
dovizia intorno ai templi di Lesbo. L'emblema della
verginità, le rose bianche, nascondevano intieramente il fianco del presbiterio, non lasciando scoperto che quel tanto che era necessario per dar
spazio alle imposte delle finestre: la mia ne era
tutta incorniciata. La rosa delle quattro stagioni
dominava dispoticamente, nelle siepi, la turba pas-
seggiera dei tulipani, dei garofani e delle anemoni;
le rosette dalle cento foglie, simbolo delle grazie,
gremivano il chiosco posto a capo del viale più grande,
e si cacciavano a destra e a sinistra sul muricciuolo
di cinta, occhieggiando.

Era evidente che il curato amava i suoi fiori
platonicamente; tranne forse per le funzioni solenni
della chiesa, li lasciava crescere e morire sullo stelo.
Infatti un tappeto di foglie tremolanti copriva i
viali: tutti quei fiori pagavano il tributo della umana

fragilità non all'uomo, ma alla natura e le loro
saline, scomposte e sparpagliate dall'aria, volavano
intorno in vortici odorosi, a somiglianza di farfalle:
non avevo quasi aperta la finestra, che il pavimento
della camera ed il tetto ne erano coperti.

Di là dal muro di cinta si protendeva la campagna,
in pendìo: pochi metri coltivati a frumento, esile
e sparuto come un povero esiliato dal suo clima; e,
interotte qua e la dalle macchie dei castagni e degli
ontci, praterie piene di sentieruoli. Più in su, la
montagna da cui io era sceso il dì innanzi, arida
e brillante delle sue frane silicee. Alla mia destra
sporgeva, oltre il fianco della casa parocchiale, a
poca distanza, un edificio rustico, di proporzioni,
per quanto modeste, pure assai più grandiose di
tutte quelle intravedute attraversando il villaggio.
Certo doveva essere l'abitazione di Baccio. Due fanciulli vi stavano giocando sul balcone di legno, e
una donna, col capo circondato alla moda montanina di un fazzoletto rosso, distendeva tutto all'ingiro i pannolini del bucato.

Fui interrotto nelle mie rapide osservazioni dalla
buona Mansueta che, viste schiuse le imposte, si
era affrettata a prepararmi il caffè e me lo porgeva,
fumante e profumato, chiedendomi come avesssi passata la notte.

Chiesi subito del curato: stava cantando messa.

Quel *cantando* mi fe' rissovvenire che eravamo
in domenica; epperò mi credetti in dovere di affrettare la mia modesta toeletta per dar saggio del mio
rispetto ai doveri dell'ospitalità, col far parte dei
fedeli raccolti in quel momento intorno a Don Luigi.

Discesi e, poichè la vecchia mi aveva preceduto
di qualche tempo, giunto in faccia alla scaletta, mi

trovai imbarazzato davanti a due porte, non ricor-
dandomi quale di esse mettesse al gabinetto da cui
ero uscito la sera. Ne apersi una a caso e mi accorsi
di aver sbagliato, pure andai avanti. Ne valeva la
pena. Era il deposito delle suppellettili più importanti e degli arredi sacri di maggior valore, il
capharnaum della chiesa. Il baldacchino rosso a
ricami e frangie d'oro, sorretto dalle sue quattro
aste collocate in altrettanti vasi di pietra, occupava,
con una posa obliqua che rammentava un ubriaco,
il mezzo dello stanzone.

Intorno, candelabri di metallo pulito, lanterne da
processione infisse sopra bastoni di color rosso già
sbiadito verso le estremità dal sudore delle mani dei
confratelli; crocifissi pure di metallo — allampanati,
portanti al congiungimento delle due aste una specie
di rosa fatta di raggi in ottone invece del Cristo.
Tuttociò, disposto in ordine di battaglia sul pavimento, pareva allacciato, come da serpi di argento,
dalle catenelle sottili dei turiboli. Un armadio gigan-
tesco sorgeva contro il muro: le imposte ne erano
spalancate. Vi pendeva tutta una famiglia di abiti
sacerdotali, camicie, cotte, stole: guardando da lontano somigliavano una fila di preti appiccati. Un
grosso messale antico mi tentò; l'apersi, e lessi in
lettere rosse intercalate a lettere nere: *Breviarium
Romanum ex decreto Sacrosancti Concilii Triden-
tini restitutum, S PII V. Pontificis Maximi jussu
Editum, Clementis VIII et Urbani VIII. Aucto-
ritate recognitum in quo Officia novissima sanctorum accurate sunt disposita. Venetiis, MDCCXXVII.
Apud Nicolaum Pezzana.* Una di quelle vecchie edizioni logore e belle che fanno pensare. Quasi a ogni
pagina erano mazzetti di rose disseccate che avevano

colorato leggermente all'ingiro i caratteri, e mescolato
il loro profumo di un giorno a quello eterno del libro.

Dietro una stia piena di galline chioccianti e su
cui stavano sparpagliati una infinità di sacchetti e
di cartocci di semi, portanti il nome della specie
scritto su cartoline appese al collo, a mo' di deco-
razioni, s'innalzava appoggiata al muro una immensa tela oblunga; — ai suoi lati drappeggiavano
quattro bandiere tricolori circondanti colle loro
pieghe le lettere cubitali, di color giallo, imitante
l'oro, che dicevano: *Viva lo Statuto*. Quel *viva* però
pareva fosse stato esposto alla pioggia tutto solo,
tanto era sbiadito in confronto del resto del dipinto:
come se il curato a imitazione degli auguri romani,
lo avesse qualche volta esposto sulla porta della chiesa,
senza altre parole al suo seguito, per celebrare la
festa del *Dio ignoto*. Mi avvicinai. e scorsi sul secondo
v le impronte evidenti di una raschiatura; per poco
che un'unghia fosse passata di nuovo lassù, si sarebbe
letto un *via* invece di leggere un *viva*. Ciò mi fece
pensare alla parete d'un seminario, su quelle stesse
montagne, dove avevo ammirato quest'altra iscrizione
epigramma balordo di sanfedisti: *Stat ut O* (sta come
zero).

I lettori vedranno in seguito come io fossi in errore,
cedendo in quel momento, davanti a quel *v* nebuloso,
a un dubbio poco lusinghiero verso il vecchio curato,
e più ancora verso il giovanile entusiasmo che mi
aveva così repentinamente animato verso di lui. Però
l'ingiusto pensiero non durò che un minuto. Riapersi
il Breviario; mi parve di vedervi specchiato il bel
viso dell'uomo che vi leggeva il paradiso attraverso
le rose, e giurai a me stesso che era impossibile
ch'egli fosse un nemico della patria.

VII.

Nulla di più pittoresco di quel sagrato. A un'altezza considerevole dalla campagna circostante, leggermente inclinato verso il villaggio, quasi per invitarne gli abitanti a salire, era coperto per metà da un'erba fitta ed uguale; l'altra metà era formata da una lunga scalinata a gradini bassi e lunghi di marmo bianco, levigatissimo. Un muricciuolo girava tutto all'intorno; in esso erano praticati de' sedili, e vi pioveva ombrie profonde una fila di castagni piantati all'infuori, a distanza ineguali.

Salii verso la chiesa, da cui uscivano, miste al brontolio della folla accalcata che giungeva fin quasi alla metà della scalinata, le cantilene sacerdotali. Al mio giungere, tutti quei visi abbronzati, tutte quelle nuche piatte e arruffate, fecero una evoluzione per la quale mi vidi addosso cent'occhi che mi guardavano meravigliati come all'aspetto di una bestia feroce.

Mi inoltrai con molta disinvoltura, urtando a destra e a manca, finchè, giunto sotto il pronào, m'avvidi che il proseguire era impresa impossibile. Mi alzai sulla punta dei piedi per vedere l'altare; memore ancora delle messe udite in compagnia di mia madre, m'accorsi di essere giunto in tempo, la messa era ancora *buona; il libro non era ancora voltato*. Il curato che ravvisai alla sua corona di capelli bianchi, era circondato da due preti, meno vecchi assai di lui, a giudicarne dalle cuticagne, una fulva, l'altra nera ma che avevano un punto di strana rassomiglianza nelle chieriche, di ampiezza fenomenale; le avresti dette due ostie appiccicate alle chiome. La

turba era ginocchioni; gli uomini a destra, le donne
a sinistra; il solo Baccio era in piedi, aggirandosi
a capo chino per veder dove mettere il passo, in su
ed in giù, scavalcando i fanciulli appiccicati alle
gonne e alle giubbe, scotendo sommessamente la borsa
dell'elemosina in cima ad una lunghissima canna che
si piegava mollemente ad ogni scrollo.

Egli faceva il suo mestiere di scaccino con uno
zelo ammirabile; la borsa compiva dei giri miracolosi;
una grossa mano non aveva finito di alzarsi da una
parte e deporvi l'obolo, che ne vedevi un'altra affret-
tarsi a far lo stesso dal lato opposto della chiesa. A
volte, invece di scendere fra le teste, la borsa vi
cadeva su: allora, chi si sentiva chiamato alla carità
con così eloquente linguaggio, la faceva con gesto
men devoto, e la moneta, cadendo, dava un suono
più forte. Avvicinatosi alla porta, il campanaro s'accorse della mia presenza, e, allargandosi a furia di
gomiti la via, in un istante mi fu vicino.

— Venga con me, mi disse, le ho preparato un
posto in cantoria, proprio accanto all'organista

E, tirata fuori una chiave e aperta una porticina
quasi invisibile, mi precedette al buio su di una
scala di legno che scricchiolava.

Nelle chiese di campagna il privilegio di assistere
alle cerimonie dalla cantoria stabilisce in chi lo
gode una superiorità fra le più invidiate. È una specie
di titolo gentilizio: è il diritto d'*immagini* dei romani.
Non sogni d'ambirlo chi lavora la terra, o chi pascola
il gregge. nelle arti lo ottengono, a volte, il fabbro
ed il falegname perchè membri quasi indispensabili
della fabbriceria cui somministrano *gratis* pali e chiodi
per l'apparato delle processioni; nel commercio, l'alto

soltanto: lo speziale ed il drogliere, che formano una
sola persona le nove volte su dieci.

Questa gente alla festa, fende con disinvolta alte-
rezza la folla e sale lassù come a una regia, i villani
danno il passo, e poi guardano i fortunati dal basso
sgangherando la bocca al canto con compunta umiltà

Al mio arrivo l'organista intonava allegramente
il *gloria in excelsis* menando le gambe e le braccia,
e tenendo fissa la faccia allo specchietto inclinato
in cui si rifletteva l'altare.

Era un vecchierello sottile, con un collo enorme.
Non immaginatevi che io sia per descrivervi ciò che
supposi esistesse disotto a quella cravatta nera. il
mio realismo non giunge sin là. Solo vi dirò che
quella cravatta. sciolta da quel collo, non avrebbe
misurato meno della lunghezza della cantoria.

Dalla formidabile fasciatura che somigliava un im-
buto incatramato sbucavano quasi paurosi un mento
aguzzo ed un naso aquilino, tenuti insieme da una
pelle color di dattero maturo La piccola testa sparuta dondolava seguendo il ritmo musicale, coll'aria
ingenuamente burlona dei chinesi di porcellana.

Accanto all'organista sedevano due sole notabilità:
una figura lunga lunga, di faccia scura con un grosso
libro di divozione a caratteri cubitali appoggiato sulle
ginocchia. La faccia dell'altro non aveva nulla che si
prestasse all'analisi Una certa pretesa borghese appariva nell'abito festivo del farmacista (giacchè non
ho nessuna ragione per indugiare a dirvi che il piccolo uomo rossiccio era il farmacista); mentre l'altro
vestiva un giubbone di stoffa grossolana pulita, è vero,
ma uguale nel resto a quelle degli umili montanari

Poichè m'ebbero per bene investigato, susurran-
dosi non so che cosa all'orecchio, si posero a parlare

a voce men bassa Mi pare che riprendessero una conversazione troncata al mio arrivo.

— Vi dico che a me non la fanno, e che non occorre aver studiato il latino per provar che due e due fanno quattro.

— Scusi, signor sindaco, rispondeva il farmacista, non ho mica detto il contrario; benchè, quanto al latino, mi possa permettere di osservare che è una gran bella cosa l'averlo studiato. Ma....

— Non ci son ma, signor Bazzetta carissimo; quel che è del comune è del comune, e quel che è della chiesa è della chiesa.

— Mi permetta un esempio. Si ricorda del paretaio di Bernardino, alle quattro croci? Ebbene, per qual ragione ne è il proprietario? Perchè da oltre quarant'anni il proprietario vero, essendo lontano, lo aveva lasciato senza volerlo e senza saperlo nel godimento di quella terra; quando volle rivendicarla, si trovò che ne aveva perduto il diritto.

— Uh, disse il sindaco, se Bernardino avesse avuto a fare con me, — vorrei vederli adesso chi li mangerebbe i tordi del suo paretaio.

— Eppure, signor sindaco, è la legge che parla, e contro la legge...

— Una delle due: o Don Luigi cede alle buone o sacram...

Il campanello dell'elevazione gli tappò la parola in bocca.

I due interlocutori s'inginocchiarono e si diedero a battersi il petto. Il sindaco con colpi sonori, il farmacista accennandoli appena.

La musica che a questo punto della messa è fissato debba essere malinconica era diventata, sotto le dita dell' organista che vi ho descritto un trillo di due note che continuarono senza mutare, finchè il curato ebbe spalancate le braccia.

Allora, dato un rapido mutamento agli indici, il patetico suonatore s'incurvò sulla tastiera, alzò i ginocchi, alzò le braccia e trombe e tromboni rimbombarono come uno scoppio di tuono.

Il sindaco che già si era rimesso a sedere, diè un balzo, e

— Maledettissimo , disse, quando volete fare di queste cannonate, almeno avvisatemi prima.

L'organista volse il capo, e, certo che alcuno gli aveva parlato, e non avendo inteso a che soggetto, rispose con un sorriso pieno di ringraziamenti.

La conversazione riprese con questa domanda del sindaco

— Oggi, m'immagino, sarete invitato a pranzo.

— Per l'appunto, signor sindaco, è d'abitudine tutte le solennità.

— Senza contar gli altri giorni, soggiunse il primo con accento iroso. E seguitò:

— Ebbene ci sarò anch'io, non a pranzo, perchè sto bene a casa mia, e poi..... perchè io non sono invitato; bisogna sapere il latino per essere invitati. Ma fa lo stesso, ci sarò anch'io, vi dico, e mi sentirete a parlare

— Via, via, ve la prendete in un modo! che vi importa mai di quei quattro palmi di prato?

— Faccio l'interesse del Comune, io. Sono o non sono il sindaco? È mio dovere. Non ho mica paura dei preti! Eh, eh, mio padre, come mi vedete, ai tempi di Napoleone, in Ispagna ne ha strozzato mezza dozzina.

— Per amor del cielo, signor sindaco...... la prudenza è la prima qualità che ....

— Mi sentirete a parlare. Sono contento che siate testimonio anche voi. Domani siete in libertà? Venite a pranzo da me: alla buona, ma.... almeno senza latino.

— Non mancherò, signor sindaco.

— Sono figlio di un militare, e sacr.. fortezza ci vuole....

— Per l'appunto. *Fortiter et.....*

Troncò la citazione come l'altro aveva troncato a metà la bestemmia, ripiegò dicendo: Fortezza, fortezza: è la prima qualità ch'io stimo negli uomini.

La messa era arrivata al *Domine non sum dignus*. L'organista infrenava i suoi tromboni e lasciava smorire la sua vena musicale in un belato di *voce umana*.

Le ultime parole dello speziale risuonarono nel silenzioso raccoglimento della *Comunione* e fecero rivoltare tutto l'uditorio.

— Silenzio, diss'egli stizzito al sindaco, mi fate parere ridicolo.

— To' è lui!..... borbottò l'altro, — poi ripigliando senz'altro il filo del suo ragionamento che malgrado l'interruzione aveva continuato a dipanarsi nel suo capo bernoccoluto :

— Eppoi sentite; la prescrizione non corre perchè il titolo è precario e to', mi hanno detto, sono sicuro che, per essere latino, dovrà persuadervi: non *currit præscriptio contra.....*

— *Non currit præscriptio contra non valentem agere ,* suggerì dolcemente l'organista che, ai suoi bei tempi , aveva fatto lo scrivano di notaio.

Il Sindaco si volse brusco brusco e con uno sguardo bieco stereotipò sul viso tondo dell'omacciolo il suo ebete sorriso.

— A momenti, brontolò, gli faccio perder io il latino col vizio di orecchiare.

L'altro che s'era drizzato in fretta sul suo scannetto lasciò per darsi contegno ruzzolare la mano sui tasti acuti facendone sprigionare una gamma ascendente di squittii di quaglie innamorate.

— Ve l'ho detto io d'usar prudenza? ammonì il signor Bazzetta.

Suonava dall'altare l'ultimo *Dominus vobiscum*. E dalla porta socchiusa dai più impazienti penetrava nella chiesa con, un raggio di sole, un respiro di ilarità, di vivace, di festoso risveglio.

— *Ite missa est.*

Le bianche pezzuole si rizzavano e qualche testolina si volgeva e qualche occhietto saettava sguardi curiosi in mezzo alla folla degli uomini assiepati sul limitare.

Poi tutti uscivano con grande scalpiccio.

E uscii anch'io e mi posi all'ombra delle quercie per fare la mia presentazione, per dirla in istile di pergamena « agli uomini, — ed anche alle donne, — dell'*oppido* di Sulzena ».

Pare che la cosa seguisse con scambievole soddisfazione. Io fui contento di alcune donnine che vidi, — esse di essere vedute: e gli uomini nella loro ingenuità montanina guardavano amorosamente con aria di benevola simpatia il corno portentoso che tenevo in mano e che ostentavo con una certa vanità.

VIII.

Pochi momenti dopo, la voce del sindaco e del farmacista risuonava dietro il muro del giardino parrocchiale, in cui dopo la messa, mi ero venuto a sedere per liberarmi alquanto i polmoni dall'afa dell'incenso.

Il sindaco diceva:

— Vado a casa a prendere un libro dove si prova, come due e due fanno quattro, che la terra della carbonaia era del Comune e deve ritornare al Comune. Ci dò un'occhiata ancora, mentre voi pranzate e in quattro salti sono qui. Siamo intesi?

— Intesi? Di che? Oh! io non c'entro, io! Ne ho abbastanza delle noie della farmacia, perchè cacci le mani negli impiastri degli altri. Me le lavo io, le mani. quando esco dalla bottega ..

— Ma non mi prometteste di venir a pranzo domani?

— Questo è un altro paio di maniche, e ci verrò senza dubbio. a pranzo. Anzi, dite pure a Brigida che. o manzo o vitello o pollo che sia, aspetti me per mettere al fuoco. Vi farò, caro sindaco, un piatticello....

— Allora ordinerò di uccidere un pollo.

— Un'anitra varrebbe meglio.

— Vada per l'anitra.

— Giovincellina... se è possibile. ...

— Faremo una scorpacciata, e poi vi dirò che razza di curato......

— Tacete'. .. A quattr'occhi si può emettere un parere: ma qui, in mezzo alla strada, sulla sua porta..

— Che porta! Non ho paura io delle cocolle.

— Io sono amico di Don Luigi.....

— E di me non lo siete forse ?....

— Amico di tutto il mondo; ma..... capite. oggi pranzo qui, domani pranzo da voi e il quassio e il tamarindo per farvi digerire lo do a tutti due.

— A rivederci ; e ne sentirete delle belle.

— Mi raccomando.... giovincellina !.....

Uno scricchiolio non lontano mi fè volgere il capo; era il signor Bazzetta che entrava dal cancello. Vedendomi, parve turbarsi un po', e, toccato il largo cappello di feltro, fèce per tornare sui proprii passi. Ma era troppo tardi ; io gli rivolsi la parola:

— Signor farmacista, gli dissi , permettete che , in assenza del signor curato, io vi faccia gli onori di casa. Gli amici degli amici sono amici , — voi conoscete il proverbio , — e poichè (appoggiai su queste parole) voi siete amico di Don Luigi come lo sono io.... Il farmacista mi guardava con occhio scrutatore. La sua faccia che in cantoria non mi aveva fatto nessuna impressione , ora mi appariva improntata di una intelligenza, di un acume che traspariva da tutti i pori. Due occhietti grigi, un naso aquilino, due baffetti ed un pizzo di un colore impossibile fra il biondo e il grigio evidentemente resi così mercè qualche apparato chimico, i capelli appiccicati alle tempia, volti in avanti, divisi da una dirizzatura inappuntabile. Una certa ricercatezza nel vestire: stoffa alla buona ma di una tinta, come dire? *coquette*, — la camicia bianchissima, stirata alla perfezione ; il colletto all'*inglese*, e i polsini a buffetti uscenti vezzosamente di un paio d'oncie fuor delle maniche.

Quand'ebbi finito, si avvicinò. mi stese la mano, ch'io strinsi e mi disse:

— Un amico di città? Ma, scusi sa, come può essere, se don Luigi, da vent'anni non si è mosso dal paese ?

— Il tempo non è sempre indispensabile alle amicizie; voi, che siete amico di tutti, come mi pare di avervi udito dire testè, lo dovete sapere....

— Ah! il signore ha udito il discorso?.....

— Sì, signor Bazzetta. qui e in cantoria.

Come il lettore vede, il piccolo mistero di cui mi aveva messo a parte la collerica eloquenza del sindaco destava in modo sommo la mia curiosità. L'aspetto da energumeno del nemico del vecchio curato, il parlar sibillino del suo convitato mi facevano intravedere il filo probabile di una congiura che la mia stima per don Luigi mi persuadeva ingiusta e malvagia e 'che forse il caso e la fortuna mi potevano dar di sventare.

Mi fissò nuovamente, parve riflettere, poi prendendo una rosa che pendeva li vicino e fiutandola:

— Che lusso di fiori. disse sbadatamente, e, abbandonato il ramo che rimbalzò a raggiungere il cespo, continuò:

— Che taccola quel sindaco; uh! quando comincia a far danzare la lingua, non smetterebbe più: è una pioggia d'ottobre ; è la mia morte quell'uomo Alla messa, in piazza, nella farmacia, dappertutto, la sente la sua voce. E dover far finta di prenderci gusto ! Chè, altrimenti guai! Ha un carattere.. ... basta.... le sono seccaggini; pene e tormenti, inerenti alla vita di campagna.

— Pare, interruppi, che oggi avesse qualche grave affare pel capo.

— Lo so io? rispose Bazzetta animandosi; lo so io?
Mi colga malanno se ho capito una parola di tutto
il suo discorso. Non ha veduto? Dondolavo il capo,
tanto per dargli ad intendere che lo ascoltavo, e più
di qualche monosillabo così *pro forma*, come si
suol dire, non ho risposto nè bianco nè nero.

— Gli consigliaste la prudenza, se non ho male
inteso. Trattasi dunque di cosa in cui è presumibile
ch'egli possa dimenticarla, la prudenza?

— È un affare che s'agita da un gran pezzo

Il curato possiede un campicello; un prato, per dir
meglio, ombreggiato da una gran quercia. Son pochi
metri di terra che non valgono due scudi, tanto
più che il curato li lascia incolti, permettendo che
vi raccolgano l'erba e le ghiande gli accattoni
delle montagne. Però, il perchè lo ignoro, predilige
quel luogo stranamente. Ci va, benchè la salita sia
molto erta, quasi tutti i giorni, al tramonto, e vi
resta a leggere un libro, sempre quello, da venti
anni in qua. Or son pochi mesi, essendo obligato da
tempo a star a letto per una febbre ostinata, un bel
giorno, dopo aver molto e molto sospirato, gli venne
la fantasia di farsi vestire e trasportar da Baccio
fino lassù, sotto la sua quercia. Il giorno dopo era
guarito. Ebbene, il Sindaco, col pretesto che quella
poca terra è necessaria per farvi passare una viuzza,
secondo lui indispensabile, vuole e pretende che Don
Luigi la ceda al Comune, vantando non so quali
diritti. Per me, ripeto, amico di tutti e farmacista
di tutto il mondo, e così messer Iddio lo volesse. —

— Che ne dice?

— E credete che il sindaco riescirà?

— Eh! se ci si mette.... ha le autorità dalla sua....
ha influenze ... acqua in bocca.. . ecco don Luigi;

facciamo sembiante di nulla. Il curato infatti ci veniva incontro pel viale di mezzo, tutto sorridente, e spalancando le braccia. Avute le mie congratulazioni per la camerettta, pel giardino e per la chiesa, don Luigi si rivolse al farmacista che accendeva una lunga pipa di schiuma e :

— Caro Bazzetta, gli disse amichevolmente, avete data un'occhiata in cucina? Come vedete, oggi il pranzo è proprio di gala ; bisogna farsi onore.

— Non dubitate, reverendo, rispose l'altro toccandosi il cappello e inchinandosi burlescamente: ho già impartite le ordinazioncine; ora tocca alla Mansueta ed a Baccio; però un'altra occhiatinina può giovare. Ci vado.

Quando il farmacista fu partito, don Luigi mi stese nuovamente la mano, e stringendo con effusione la mia. mi invitò a sedere sul banco di pietra.

— Mi sembrate preoccupato, disse guardandomi in faccia dopo uno scambio di parole che era durato una diecina di minuti. Ditemi, per carità, che cosa vi ha tolto la ciera contenta di ieri sera? avete dormito male? vi è nata qualche contrarietà? parlatemi come a un vecchio amico, mio caro, giacchè voi siete gia tale per me..

— Preoccupato, risposi, oh! no, davvero! È questa lieta novità di spettacolo che mi distrae: ho dormito a meraviglia, ho visto dei soggetti di pittura magnifici, tutto mi sorride e mi piace, sono vostro in corpo ed anima, e vi avverto, don Luigi, che il giorno di lasciar questa casa non è molto vicino.

— E se occorresse barricarla, per allontanarlo di più, son io quello che la muterei in fortezza, sclamò il curato, a cui il lettore s'accorgerà che io non avevo detta tutta intiera la verità.

I miei occhi non potevano togliersi da una macchia di castagni sovrastante al giardino, sotto la quale, da cinque minuti, era venuto a sedersi il terribile sindaco, armato di un grosso volume nero nero, e seguito da un figuro che la lontananza non mi permetteva di ben definire. Nella posa di quei due uomini raggomitolati sotto quelle fronde, v'era un non so che di truce, di misterioso, che mi sgomentava. La testa del sindaco, china sul libro, seguiva affannosamente la mano dell'altro che pareva leggesse; e di tanto in tanto si alzava verso il presbiterio, ed erano allora due pugni chiusi che si appuntavano nella stessa direzione.

Per quanto mi fosse doloroso il togliere don Luigi alla sua calma allegria, non potei resistere al bisogno, che mi pareva dovere, di additargli quello strano gruppo, pur tacendo delle cose udite in cantoria.

— Don Luigi, gli dissi, studiano molto le vostre pecorelle. Guardate lassù quelle due: si direbbero studenti di Università alla vigilia degli esami.

Il povero vecchio alzò gli occhi, guardò, ravvisò, e un tremito gli corse sulle labbra, e un pallore, non so se di collera o di paura, gli coperse la faccia. Balbettò, per rispondermi, poche parole ch'io non compresi, e si alzò.

— Entriamo in casa; oggi conoscerete tutti i notabili del villaggio.

E mi precedette passandosi a più riprese la mano sulla fronte.

Io mi sentiva l'anima oppressa.

IX.

Giunti alla sala da pranzo, trovammo la tavola imbandita. Il curato mi fe' sedere alla sua destra; uno dei due preti che avevo intraveduto alla messa fu invitato a porsi dall'altra parte, e gli altri presero posto come vollero.

Eravamo otto commensali. Il farmacista fu l'ultimo a venirsi a sedere al mio fianco; e ancora, fra un boccone e l'altro, scappava via a dare una occhiatinina (egli aveva il gusto dei diminutivi) ai fornelli. A volte, era egli stesso che compariva dalla cucina con un piatto fumante che poneva davanti al secondo prete, il quale stava a capo della tavola dirimpetto al curato. In tal caso si trattava di qualche intingolo manipolato dalle sue mani e ch'egli assaggiava cogli occhi commossi, prima che colla bocca.

— A lei, Don Gaudenzio; mi tagli un po' di cotesto, ma, per carità, non dilanii, tagli.

E, ciò detto, veniva al suo posto coll'aria di uno che, fatto il proprio dovere, lascia altrui la intiera responsabilità delle conseguenze.

Don Gaudenzio pareva creato da Dominiddio apposta per coprire l'ufficio a cui era stato scelto alla tavola del presbiterio. Certo erano costrutti così gli schiavi incaricati di squarciare gli agnelli nei banchetti omerici. Egli si tirava d'impiccio con una rapidità prodigiosa. Le sue braccia colossali passavano, coprendolo agli occhi altrui, due o tre volte sul piatto, poi deponeva coltello e forchetta, e la vittima si trovava pronta a far il giro della tavola.

Quando il piatto arrivava davanti all'organista, l'avresti detto un convoglio che, fatte brevissime soste alle stazioni secondarie, è finalmente arrivato a uno scalo di grande importanza, e perciò vi si ferma un bel pezzo, vogliano o non vogliano i viaggiatori. Era ingordigia raffinata e soverchia da parte del musicista? Oh, no certo; ma bensì deplorabile effetto della sua eccezionale struttura. Ei non poteva guardar da vicino al dissotto di sè stesso; il volume del collo ne lo impediva; la sua piccola testa era inchiodata su quell'enorme piedestallo nella direzione degli astri e dello specchietto dell'organo, ed era con grandissimo stento e ancora allontanando il piatto verso il centro del tavolo, che il povero uomo riusciva a vederne il contenuto e a prenderne la propria parte. Una volta la sosta di un pollo arrosto fu così lunga, che il prete che sedeva in faccia a me fra il curato e l'organista nell'imbarazzo, perdette la pazienza, e, riscaldato probabilmente dal profumo della imbandigione che tanto tardava a cadere nelle sue mani, esclamò:

— Signor Prosdocimo, in nome di Dio! ci vuol tanto tempo per decidersi fra un polpastrello ed una ala? Ci sono tanti che aspettano!...

Il Bazzetta venne allora in aiuto dell'infelice organista, cui le parole del sacerdote impaziente avevano dato il tremito. D'un balzo gli fu alle spalle, e, guidatagli la mano, gli infilzava sulla forchetta il boccone migliore. Il pretaccio, che forse lo aveva da gran tempo adocchiato e sperava infilzarlo sulla propria, si morse le labbra e, preso il piatto, lo girò al curato, senza servirsene, dicendo dispettosamente:

— Non è mica ch'io abbia parlato per me....

— Oh! osservò don Luigi, chi mai potrebbe pensarlo?

E mi diè un'occhiata di una furberia che, su quei lineamenti fatti per la serenità e la dolcezza, era proprio impagabile.

I discorsi, durante il pranzo, furono molti e svariati, io, come nuovo arrivato e come cittadino, ne dovetti naturalmente far le spese maggiori. Le domande fioccavano, nè a tutto potevo rispondere.

Don Gaudenzio era stato in seminario con un tale abatino pieno di talento e a cui i *superiori* preconizzavano una carriera delle più luminose. Egli voleva sapere da me che cosa ne fosse avvenuto.

— Don Ambrogio Marzocchi? Non lo ho mai sentito nominare.

— Pare impossibile! Un giovine di tanto talento Eppure. scusatemi....

— S'immagini. .

— Scommetto che adesso è almeno almeno canonico del duomo.

— Sarà benissimo.

Don Gaudenzio non mi guardò più che con aria di suprema compassione.

E fui subito dall'organista che con una voce da donnicciuola malata mi chiedeva se i cori della cattedrale milanese fossero composti di maschi o di femmine.

— Maschi, signor Prosdocimo.

— Pare impossibile: li ho sentiti una volta sola, da ragazzo, all'epoca dell'ingresso dell'arcivescovo Romilli, e avrei giurato.....

— Ci sono uomini che hanno la voce dell'altro sesso; rari sì, ma ci sono.... mormorò il farmacista.

E ghignava sotto i baffetti.

Due commensali non apersero bocca.

L'uno era don Sebastiano, il vice-curato, l'ombra di quel quadro luminoso di giocondità, un certo coso incoloro, insipido, insignificante (ed altre negative in *in*), del quale per dare un'idea giusta bisognerebbe poterlo descrivere senza dirne nulla.

L'altro, un giovane abatino, pallido, dagli occhi azzurri, dalla ciera linfatica e sofferente, dai modi timidi e muliebri. Lo splendore vago e malinconico del suo sguardo parea cercasse qualche cosa che non era presente, una memoria lontana, una speranza indefinita. Mangiò pochissimo e non bevette che acqua, ciò che non fece, per esempio, Don Gaudenzio.

Si era appena finito, e i commensali stavano ancora ripiegando i tovaglioli, quando Baccio entrò con una faccia sepolcrale, ed annunziò l'arrivo del sindaco.

Il curato ebbe un movimento di tutta la persona, e un rapido sguardo in alto, che mi colpirono. Poi, puntellandosi ai bracciuoli della poltrona disse, alzandosi lentamente:

— Vengo; fatelo passare nel gabinetto.

Un silenzio successe alla partenza del curato; l'imbarazzo generale era evidente.

Bazzetta, la testa all'aria, maneggiava con fare sbadato, uno stuzzicadenti; don Anastasio, il prete che aveva fatto allibire il povero Prosdocimo, s'era alzato, e, piano piano, come uno che cerca di sviare da sè l'attenzione, era andato a collocarsi presso la porta da cui era uscito don Luigi e origliava. Solo don Gaudenzio, disteso ancora tranquillamente davanti agli avanzi della lauta imbandizione, pareva non essersi accorto nemmeno della sparizione del curato; e dondolandosi il mento, prelibava il sonno

Io uscii nel giardino sperando che mi sarebbe dato
di vedere che cosa succedeva. Ma fui deluso: tutti
gli sportelli delle finestre erano chiusi; e non si
udiva che il burrichio degli insetti che svolazzavano
tra le rose, mentre dalla cucina veniva il suono
chioccio dei piatti uscenti dal ranno.

L'abatino, che era sempre stato silenzioso durante
il pranzo, mi seguì fuori dalla stanza, ed entrò in
un viale ombroso che correa parallelo a quello in
cui mi ero posto; e vedevo tra il fogliame la sua
faccia diafana e i suoi occhioni profondi che mi fissavano con una curiosità fatta di meraviglia e di
rispetto nel tempo stesso.

Certo, a quell'umile esistenza incantucciata fra le
umili pareti di un presbiterio solitario e ignorato,
destinato a crescervi ed a morirvi nell'ombra e nella
dimenticanza; a quella debole creatura pensierosa e
malaticcia a cui nessuno guardava, a cui nessuno
parlava; che era lì come un arnese della parrocchia,
inconscio di sè e degli altri, doveva essere oggetto
di meraviglia l'aspetto di un giovane della stessa
sua età, fiorente, robusto, pieno di vita, libero come
l'aria, che era giunto da lontano, dalle città porten-
tose, che parlava nuove e edificanti parole d'arte e
di progresso, e che il curato, il venerando signor
curato aveva accolto e trattava da pari a pari. È
propria delle nature deboli la facilità di ammirare,
e, per talune di rimpicciolirsi, il sentirsi di polvere
davanti ad altre che siano o sembrino più elette e
più forti, diventa per loro una compiacenza, quasi
una voluttà profonda ed indefinibile.

Di tal tempra pareva il mingherlino giovinetto
che mi seguiva, coprendomi di sguardi penetranti
e modesti. Mi nacque simpatia per lui, e, nell'an-

4

sietà in cui ero per quanto accadeva in quel momento nel gabinetto, pensai che facendomi amico quel piccolo ammiratore, oltre che obbedire alla incipiente simpatia, sarei forse anche riuscito a trargli di bocca qualche rivelazione intorno il mistero.

Giunto a un risvolto del viale, mi indirizzai quindi a lui, che parve tremar sulle gambe, vedendomi giungere.

— Siete nativo del villaggio? gli chiesi.

Egli arrossì fin nel bianco degli occhi, chinò il capo, intrecciò le mani, si pose a girare le dita come se numerasse le grane del rosario, e, finalmente, con una vocina velata:

— Sissignore, rispose.

— E vivete qui, col curato?

— Nossignore, in casa del signor Sindaco.

— Ah! siete suo parente?

— Parente.... no, ma è lui che mi mantiene agli studii.

Ripresi a passeggiare; egli mi seguì, ma restandomi indietro un pochino.

— E la vostra famiglia, ove abita?

— Non ho più che mia zia, la sora Mansueta; rispose tristamente il chierico; sono figlio di una sua sorella, che è morta.

— E il babbo?

— Non l'ho mai conosciuto; non so chi sia stato.

— Conoscete almeno il suo nome?

— Nossignore.

— Ma voi come vi chiamate? Dissi, fissandogli gli occhi nel viso.

— Col nome di mia madre, rispose il poveretto, chinando gli occhi nel pronunciare quelle parole, e, rialzandoli tosto. quasi a cercarmi silenziosamente la spiegazione di un enigma.

In questo punto. mentre le foglie stornivano e i passeri battevano dell'ali al disopra della vite, la voce terribile del sindaco squarciò l'aria tiepida e tranquilla. come lo scroscio di un torrente che d'improvviso fosse sgorgato dal monte Il mio interlocutore impallidì ed io sentii di fare altrettanto

— Ah! possedete dei documenti? Me ne infischio dei vostri documenti; i miei valgono meglio E, corpo di mille Satanassi, se non varranno quelli. ho altre cose nel sacco.

Le parole che, a giudicarne dalle interruzioni del sindaco, venivano intercalate dalla sua vittima, non giungevano fino a noi.

— Sì. altre cose nel sacco. e di belle e di buone, signor prete: è passato quel tempo che mi mettevate paura e ne approfittavate per rovinare il mio avvenire. È passato, ma me ne ricordo: e il coltello pel manico adesso l'ho io..... Quando penso che mi avete fatto ubbidire come un agnellino, e che ne porto ancora le conseguenze . con quell'ombra di pretucolo che mi avete accollato.... Ma. ciò che è segreto per me non lo è per gli altri, e corpo di . Tacerò se uscerete le buone, altrimenti !...

Vi fu un silenzio di qualche minuto, dopo questa oscura minaccia. Dopo non udii che un *siamo intesi,* ma così irto di ferocia che mi rimescolò le viscere.

Il terribile uomo comparve sotto la vite, dirigendosi al sentiero ove stavo io coll'abatino.

Al vederlo, quest'ultimo parve voler sprofondare sotto la terra.

— Animale! gli gridò il sindaco, venendogli incontro; che fai qui a discorrere colle persone che

non conosci! Dio ti maledica, cretino da galera;
avanti, a casa, o buschi il resto di quelle che ti ho
date ieri; avanti, a casa, a lavorare!

E, afferratolo pel collare, lo sollevò dal suolo, e
lo piantò a due passi di distanza.

E l'infelice, col capo nelle mani, lo precedette, ed
uscì dalla porticina tutta inghirlandata di glicine e
di verbene.

X.

Mi decidevo a seguire la miserevole coppia, pronto
a mettermi in mezzo se le percosse dell'aguzzino si
fossero ripetute, quando un improvviso trambusto
nel presbiterio mi fece tornare sui miei passi. Era
come se molte persone andassero e venissero parlando tutti in una volta a voce concitata e sommessa.

Giunsi col cuor stretto alla porta della cucina, e
vidi il farmacista che, curvo sui fornelli, soffiava
nel fuoco, disfacendo nel tempo stesso un cartoccio.

— Che cosa succede? gli chiesi.

— È venuto male a Don Luigi, rispose tra un
soffio e l'altro.

— Seriamente?

— Peuh! Così, così.... i suoi soliti disturbi, ma
con forza maggiore.

E, svolto del tutto il cartoccio, versò una polvere
bianca in un colino.

Io volai nel salotto.

C'erano tutti i commensali meno don Sebastiano,
il vice-curato, il quale notai allora con sorpresa, era
sfumato via quetamente, come fosse un ombra impassibile alle cose di questo mondo. Tutti facevano

capannello in un angolo, daccanto alla finestra per
cui io avea spiato un momento prima: ma al mio
giungere don Gaudenzio se ne staccò, ed io potei
inoltrarmi fino al seggiolone ove avean posto a sedere il povero curato.

Egli era estremamente pallido e respirava affannosamente, comprimendosi il cuore colla mano destra,
stringendo colla sinistra, tutta convulsa, quella del-
l'organista che gli teneva un fazzoletto inzuppato
sulla fronte, e cacciava fuori dalla cravatta il mento
aguzzo ad una distanza alla quale, fino a quel giorno,
non era probabilmente mai giunto. Baccio, col viso
stravolto parlava a bassa voce con Don Prosdocimo,
i cui lineamenti severi si erano rabboniti di molto,
la Mansueta guardava in cielo e non pareva accorgersi delle lagrime grosse e rare che le gocciavano
sulle guancie.

Il curato mi sorrise, e parve, al movimento delle
labbra, che volesse parlarmi, ma non potè: allora
abbassò gli occhi e non li rialzò che alla voce di
Bazzetta il quale con una chicchera fumante in
mano, gli diceva :

— Ecco la camomilla ; sa che le ha sempre fatto
bene, vedrà che le farà bene ancora. Giù, giù, mentre
è calda; si faccia coraggio

— Quel benedett'uomo, diceva Don Anastasio colla
sua voce burbera e piena di convinzione, non ha
altri momenti da scegliere per venire a disturbare
il signor curato? — E lui, così buono, da guastarsi
la digestione per dargli udienza.... a quel....

Uno sguardo di Don Luigi, che aveva finito di
ingoiare la pozione, gli troncò le parole in bocca.

— Come si sente? Va meglio?... un cuscino per
appoggiare la testa....

Il curato crollò il capo, ed accennò al cuore.

— Questo è troppo piccolo, disse Bazzetta a Baccio che portava un cuscino; — uno di quelli del divano, là in gabinetto.

Trovandomi il più vicino all'uscio, ne andai in cerca io. Con mia grande sorpresa trovai disteso sul divano il panciuto don Gaudenzio, il quale, come se nulla fosse accaduto, appisolava beatamente col capo appoggiato appunto sui cuscini di cui venivo in traccia.

Lo scossi a più riprese, ma inutilmente. Socchiudeva gli occhi ad ogni mio urto, sussurrava poche parole inintelligibili, e tornava a russare. Perduta pazienza, afferrai uno dei cuscini, e, tenendo fermo contro il muro quella montagna di carne rorida di sudore, lo tirai a me violentemente. Il capo del prete ricadde sul cuscino sottoposto e continuò via, sorridendo bestialmente, nel sonno, senza accorgersi di essere disceso di un piano.

Cadeva il sole, quando una febbre violenta assalse Don Luigi, dopo un sopore affannoso che era durato tutta la giornata, interrotto da lunghi tremiti e da sospiri repressi. Il Bazzetta, tranne alcune corse al suo negozio, era sempre stato con me al suo fianco, e fummo noi due che, aiutati da Baccio, trasportammo e ponemmo a letto l'infermo.

I due sacerdoti erano partiti per dar passo agli uffizi divini del pomeriggio; e l'organista ci aveva lasciato due ore dopo lo sviluppo del male, facendomi di grandi inchini e raccomandandomi caldamente di restare finchè Don Luigi non fosse perfettamente ristabilito.

— Domani, disse mettendosi il cappello, cercherò di venire, ma ho tanta strada da fare e fa tanto

caldo.... Basta, parto meno crucciato perchè v'è qui
lei. Loro signori di città sono gente di esperienza;
è proprio il Signore che l'ha mandato.

E si avviò con quel passo misurato, nè frettoloso,
nè lento, delle persone abituate a far sempre la medesima strada. Baccio intanto si preparava ad andar
per il medico il quale teneva la sua dimora legale
a una grossa borgata a tre leghe dal nostro villaggio.
Ma non fu senza arricciare il naso che Bazzetta rispose alla proposta del campanaro il quale pel primo
pensò alla necessità dell'Esculapio:

— Il medico! Perchè gli cavi anche quel po' di
sangue che ha in corpo! Il medico!.. febbre? Un
salasso!.. polso abbattuto? Mignatte!.. Oppressione
di capo? Mignatte!.... Delirio, agitazione nervosa?
Un salasso! Salassi e mignatte, ecco il sistema del
dottor Caniveri.... un uomo che stimo, del resto. Se
si lasciasse fare a me... lo do sano in due giorni,
solo lasciandolo in calma. S'interruppe, pensò, poi
avvicinatosi a Baccio gli disse all'orecchio una parola.

E soggiunse:

— Che te ne pare?

— Magnifica idea!

— Quello è l'uomo che ci vuole: vado da lui; e
al diavolo il signor Caniveri.

Verso le sei di sera, Baccio partì, tutto orgoglioso
del bastone col corno di camoscio, ch'io gli avevo
prestato di gran cuore, sapendo di fargli un segnalato piacere.

Bazzetta crollava il capo vedendolo allontanarsi e
tu con voce dispettosa che mi disse: Io resterò fino
a mezzanotte, e ritornerò sul far del giorno. Intanto

voi cercate di divagarvi, chè davvero. per essere la
prima vi è toccata una giornataccia.

Poi, avvicinatosi, mi prese per un braccio e ammiccando gli occhi soggiunse:

— C'è in casa un vinettino impagabile. Non fate
complimenti: ne troverete nell'armadio. in cucina.

E salì alla camera del curato.

Io feci un giro pel villaggio Gruppi di montanari
e di villanelle, seduti davanti alle porte delle capanne, s'indugiavano a respirar l'aria balsamica della
sera. Da qualche finestra debolmente illuminata uscivano le nenie del rosario, interrotte dal chiocciare
delle galline che sbucavano d'ogni parte dalle siepi
degli orti, per ricoverarsi al pollaio.

Passando davanti alla fontana, pensai: Chi sa se
questa notte non succederà l'inondazione. E mi pareva di veder Baccio colla sua famosa calza in mano.
Un vero attruppamento di ragazzi stava immobile,
cogli occhi spalancati, come davanti a qualche cosa
di straordinario, in faccia alla porta di una casupola
le cui finestre, a differenza di tutte le altre, erano
spalancate. Chiesi a un d'essi che cosa attirasse la
loro attenzione, ma il ragazzotto, per tutta risposta
se la diede a gambe, seguito dall'intiera falange

Mi inoltrai dissotto all'androne; non so perchè.
quella casa aveva qualcosa di strano da cui mi sentivo attirato. Nel cortile non c'era nessuno; sulla
loggia che lo incoronava erano distese materasse e
lenzuola in gran numero; un cagnolino guaiva presso
una porta semichiusa.

— Abbruciate altro aceto, mamma Lena! ouf! si
direbbe che è morta da una settimana!

E una vecchia, curva come un tronco abbattuto, attraversò il cortile con una lanterna in mano e miagolò:

— Vengo, Lisa! e voi andate là da quel poveretto che a furia di piangere finirà per perdere gli occhi.

Era la casa della povera Gina.

Due ragazzetti, i suoi orfani, vennero a sedersi accanto al cane, con una enorme scodella di latte e pan giallo, ridendo e giocando, fra l'una e l'altra boccata. Ma il cane di tanto in tanto ripeteva i guaiti

Partii da quel luogo, quasi col rimorso di averlo profanato colla mia indiscreta curiosità, e me ne ritornai al presbiterio, ripensando al sogno della notte e alla quantità e alla universalità degli umani dolori

Le campane dell'Ave Maria squillavano malinconicamente; in assenza di Baccio si era andato a cercare il suo sostituto, un vecchio piccino, pellagroso. e che zoppicava. Nell'alternarsi incerto degli squilli si sentiva qualche cosa del suo incesso.

Entrai nella cucina, non illuminata che dalla fioca luce del crepuscolo, il fuoco era semispento. Un grosso moscone volava su e giù, ronzando affannosamente e dando ad ogni tratto del capo nelle casseruole appese ai muri. Non vedevo nessuno.

— Il curato dorme ed io bevo. Venite a farmi compagnia. Era lo speziale, accovacciato e sepolto nell'ombra sotto la cappa immensa del camino. Mi avvidi subito ch'egli si era rifatto, colla bottiglia, delle noie e delle fatiche della giornata I suoi occhietti brillavano nel buio come due carbonchi. Gli sedetti dirimpetto, e, sorseggiando quel *rinettino* davvero squisito, si cominciò a chiacchierare.

Il lettore si imagina di leggieri quali dovettero essere e come insistenti le mie domande. Avevo giurato a me stesso di non chiudere occhio se non avessi prima saputo qualche cosa intorno a quel sindaco misterioso che mi appariva il perno, il movente del dramma, del cui svolgimento il caso mi faceva spettatore.

Il Bazzetta sulle prime fu restio come un mulo. Sapeva di grandi cose (ci teneva a convincermene) ma prudenza gli suggeriva di tenerle per sè. Pochi erano al fatto di così gravi affari : nessuno forse, dopo il curato ed il sindaco, li conosceva a fondo come lui: responsabilità quindi maggiore, obbligo più formale di rinchiudersi nel silenzio. Queste mezze rivelazioni, queste reticenze non facevano naturalmente che accrescere a dismisura la mia curiosità. Misi a contribuzione tutta la mia eloquenza, e pregai e insistetti tanto che, quando Dio pur volle, non senza l'aiuto del vino ripetutamente versato, il dabbene speziale, si decise a snocciolarmi tutta una storia.

— La Mansueta, disse, quasi per scusar sè stesso, l'ho mandata a dormire, chè guai dubitasse soltanto che io permetto di narrarvi le disgrazie che sentirete, e di cui è, poveretta, la causa senza volerlo. Se narro a voi, proprio perchè siete voi, è perchè penso che, alla fin delle fini, fra pochi giorni sarete lontano le cento miglia, e della mia storia non vi ricorderete più nemmeno il principio. Accendo la pipa, scusatemi, e poi mi starete a sentire.

Ciò che udii quella sera, nel silenzio opaco e tristo di quella cucina, vorrei potere e saper ripetere colla rozza ed efficace semplicità con cui narrava il dabbene speziale: ma dovrei accennare le interruzioni,

citare le osservazioni, ch'egli vi intercalava, senza
di che l'effetto sarebbe mancato e il racconto non
farebbe che diventar più prolisso. Preferisco quindi
riassumere alla meglio e raccontarvi con parole mie:

IL ROMANZO DEL SINDACO

Si chiamava Angelo Deboni. La sua famiglia,
oriunda di Zughano, il capo-luogo del circondario,
era un tempo fra le più agiate di quelle valli. Possedeva i pascoli migliori, le *baite* le meglio costrutte,
e il belato e le campanelle delle sue mandrie si sentivano a molte e molte leghe all'ingiro. Le donne
Deboni erano citate per le loro gonne di seta e cotone, lusso che non si permettevano se non la moglie
dell'Intendente e la sorella dell'Esattore. Quelle gonne
invidiate avean valso anzi a far correre pel paese
certe voci poco benevoli sulla rettitudine dei costumi
di casa Deboni.

Questa si componeva di due famiglie riunite in
una sotto il governo di due fratelli, il padre e lo
zio di Angelo. Quest'ultimo, uomo dato in corpo ed
anima alla religione, rimasto vedovo in giovane età
con due ragazze e senza erede maschio, natura bi-
sbetica e malinconica, teneva i conti, regolava le
spese, e viveva in casa (una grande casaccia umida
e burbera la cui porta maestra era sempre chiusa)
come una lumaca nel guscio. Il padre di Angelo era
l'opposto del fratello. V'erano due ore soltanto sulle
ventiquattro in cui egli si ricordasse di avere una
famiglia e una casa: al mezzogiorno, vale a dire
all'ora del desinare, e a mezzanotte, vale a dire al-
l'ora del coricarsi. Il resto della giornata lo passava

girando da un pascolo all'altro, da questo a quel
bosco, calzato di due enormi stivali, che in paese
erano proverbiali, e armato di un alto e grosso bastone le cui solide proprietà non erano ignote a nessuno dei suoi pastori e dei suoi coloni, compresi i
vecchi, le donne, e i fanciulli. Alla sera, giocava
a *tresette* all'osteria, trincando come un bufalo, bestemmiando come un vetturale, pallido se vinceva,
scarlatto se la fortuna gli voltava le spalle, arcigno,
beffardo, arrabbiato sempre. Sua moglie era una
donna piccina e grassotta, di un biondo cinereo, con
una pelle la cui floscidità appariva più che mai nelle
palpebre, le quali non potevano star sollevate un
minuto secondo, talchè chi non la conosceva poteva
credere ch'ella fosse cieca o avesse il dono di camminare ad occhi chiusi.

Del resto, essere passivo e inconcludente, errava
per la casa, dal solaio alla cantina, accusando flem-
maticamente e inappuntabilmente ad ogni bisogno,
colla regolarità di un pendolo, come un sonnambulo,
come un automa. Non si capiva come quella *cosa*
avesse potuto procreare due volte. Giacchè il signor
Angelo aveva avuto un fratello. È vero che costui
— vivo, pochi lo avevano veduto, morto, nessuno
ne osava parlare, almeno in pubblico. Era il secondo
genito e pare che la sua venuta al mondo non avesse
gran fatto garbato all'autore dei suoi giorni. Le dicerie andavano più in là: si mormorava che l'infelice avesse dovuto accorgersi allo sbaglio fatto nascendo,
appena uscito di fascie. Fu il cane della casa; cane
a tal punto che un bel giorno, (l'infelice contava
allora quattr'anni) un calcio paterno nel ventre lo
aveva messo a filo di vita. D'allor in poi la rachitide

si impadronì di quel diseredato che vedevate, origliando alle fessure delle finestre, strascinarsi, smorto e coll'asma, dietro le gonne della madre affaccendata e noncurante, finchè andava a ricoverar le visioni e la tosse in qualche angolo della casa, dove le mosche fossero meno numerose e accanite nel tormentarlo. Due anni dopo quel calcio, la portaccia Deboni si aperse, un piccolo feretro ne uscì, e tutto fu detto. Le due cuginette di Angelo erano ciò che in campagna chiamano due *leggierine*, non brutte, non belle, orgogliose e facendo pesare i gruzzoli della loro dote su tutte le fanciulle del paese, incapaci di un buon pensiero, atte a diventar due esperte cortigiane o due donne simili alla loro zia, secondo l'occasione e le circostanze, si assomigliavano in tutto, e si accordavano in tutto, tranne che in due cose sole: la maggiore aveva un culto speciale pei girasoli che alla minore mettevano spavento: questa si sarebbe pasciuta per la vita eterna di stufato d'agnello, e all'altra veniva la nausea solo a sentirne l'odore. Del resto il vecchio bigotto che si spartiva la vita fra i registri dei bovini e dei laticinii, e il *Manuale di Filotea*, le lasciava far quanto volevano, e, purchè non gli lasciassero mai sfornita la scatola del tabacco, non se ne imbarazzava nè punto nè poco.

Questa suprema noncuranza del presente e dell'avvenire della loro prole, era l'unico punto di somiglianza fra i due fratelli Deboni. Rotto appena il guinzaglio inevitabile della primissima infanzia, il piccolo Angelo, nerboruto e tracotante ragazzotto dai capelli fulvi e dallo sguardo battagliero, si era affrettato ad approfittarne. Era lo spirito folletto, il genio malefico delle mandre e dei pastori. A piedi nudi, a capo scoperto, lo scudiscio in mano, quando

non era qualche cosa di peggio, facesse caldo, facesse
freddo, sotto il sole, sotto la pioggia, piombava nei
tugurii, rovesciava le pentole, gettava l'acqua della
polenta sui focolari a stento attizzati, prendeva i
vecchi per la barba, i marmocchi pel naso o le orecchie, attaccava dei razzi alla coda dei gatti, trovava
un gusto matto ad affumicar le tane dei sorci, e,
quando, stanco finalmente e trafelato se ne ritornava
a casa sull'imbrunire, aveva sempre in tasca un cartoccio destinato al suo prediletto passatempo della
sera. Quel cartoccio conteneva una dose di quella
polvere di cui si riempie la striglia adoperata sul
corpo dei cavalli e dei muli, egli ne faceva incetta
mediante pochi quattrini, presso i ragazzi dei mulattieri dipendenti da suo padre, e, arrivato a casa,
salia pian pianino alla camera del fratello rachitico,
alzava le coltri del suo letticciuolo. e con gioia
satanica ne cospargeva copiosamente le lenzuola.
Nulla dà il prurito come quella polvere; un prurito
morboso, insopportabile, spasmodico. Il povero piccino si coricava all'avemaria, e non era appena
sdraiato che cominciava a contorcersi e a gemere.
Angelo, appostato dietro l'uscio, si teneva i fianchi,
e gongolava pensando che la infelice creatura ne
avrebbe avuto fine al mattino seguente. Era questa
la *bonne bouche* del suo quotidiano banchetto di piccole infamie.

Un avvenimento straordinario, e complicato da
molti casi fatali, venne a troncarle sul più bello,
od almeno a cambiarne il corso.

Il vecchio scorridore di giogaie, l'iracondo dispen-
siero di bastonate, il bevitore senza pari, il giuoca-
tore febbricitante, cominciava a sentire il peso degli

anni mesorabile. I primi bagliori dell'alba che venivano a trovarlo nel letto, egli non li salutava più
coll'animo lieto di una volta; « così presto ? » pensava, e vestivasi con minor sollecitudine, guardando
con un senso d'invidia, che non voleva spiegare a sè
stesso, la moglie che russava dall'altra parte. Le erte
lo infastidivano; brontolava assai spesso contro l'in-
curia degli appaltatori stradali: e si sorprendeva le
molte volte, a mezzo del cammino altre volte percorso d'un tratto, seduto sotto una quercia, colla
testa annuvolata e le ginocchia indolenzite. Nel tempo
stesso il suo carattere subiva insensibilmente una trasformazione. Il malumore senza parentesi serene, il
non mai interrotto digrignare dell'animo suo, subiva
adesso dei lunghi intervalli di stanchezza, nei quali
pareva che quell'orso si sprofondasse in una profonda
ed amara meditazione. Erano rimorsi? Era presen-
timentimento di avvenire funesto? La podagra lo
assalì, repentina come un colpo di fulmine, e colla
podagra tutti gli incomodi e le sofferenze reali o im-
maginarie che sono conseguenza degli improvvisi
cambiamenti nelle abitudini inveterate

Allora, a sentirlo, non c'era giuntura che non gli
dolesse, nè c'era altro sollievo per lui, che stroppic-
ciargli le dita: ciò che la placida sua consorte disim-
pegnava colla impassibilità e lo scrupolo con cui
rigovernava ogni sera il vasellame di cucina. Al mattino era preso da granchi fortissimi allo stomaco che lo
contorcevano sulle lenzuola come una serpe a cui si
sia fracassata la testa; e lo seppellivano sotto una
montagna di pannolini caldi che, egli, dopo un momento, gettava dalla finestra.

Condannato all'immobilità dalla malattia, ebro di
noia, un pensiero che non gli era mai passato pel

capo dacchè era uscito dalla scuola, gli attraversò
la mente: che cioè esistevano dei libri e che probabilmente essi dovevano essere stati fatti per qualche
cosa. Ne chiese; e fu un grande avvenimento in famiglia. Le due pulzelle corsero a nascondere nel solaio certi volumi che usavano leggere di soppiatto
e che vendeva loro di tanto in tanto il compiacente
mercante girovago (il *masciago*) che passava pel
paese ogni quindici giorni, e il lettore del *Manuale
di Filotea* fu molto contrariato di veder un vuoto
nelle due file di libri ascetici che componevano tutta
la sua supellettile letteraria.

Poche persone venivano a visitare l'ammalato: la
casa Deboni aveva qualche cosa scritto sulla facciata
che parea dire alla gente — «stammi lontano». E ancora, a quei che vi andavano di tanto in tanto, vuoi
per carità, vuoi per altri fini, la mezz'ora, presso
quel capezzale, somigliava a una mezz'ora passata
in una tomba. Il vecchio podagroso li salutava con
un monosillabo, poi li lasciava parlare, mentre la
sua attenzione pareva aggirarsi le mille miglia lontano. Le labbra erano in perpetua agitazione, e gli
occhi che teneva abitualmente fissi alla parete davanti a sè, d'improvviso, a un punto inconcludente
del discorso che gli era fatto, si animavano e venivano a squadrar stranamente dal capo ai piedi il
narratore. Ciò che facea rabbrividire e balzar sulla
sedia costui. A volte, li interrompeva sul più bello
di una narrazione con un addio, secco come una ac-
ciuga, e riapriva un *San Tomaso d'Aquino,* o il
Mese di Maria, riaccomodandosi il guanciale sotto
la testa

La famiglia non si diede per molto tempo pensiero di queste ascetiche malinconie. Ma un giorno il figlio Angelo s'accorse che la cosa si spingeva a conseguenze impredevute e per lui poco gradevoli. Suo padre diventava caritatevole, — faceva delle elemosine. Per un uomo, noto per la sua tirchieria, la cosa era grave. Era certo segno di un grande disordine morale; perciò i maggiori eccessi diventavano possibili.

Diffatti la sua prodigalità in breve non ebbe più limiti. Buttava via il danaro e le robe dalla finestra — letteralmente.

Quale era stata la causa di sì strano rivolgimento?

Ecco: un giorno leggendo il Vangelo; gli era caduta sott'occhio quella sentenza, satura di un sublime socialismo, che dice: — *In verità vi dico è più facile che un cammello passi per la cruna di un ago, che non un ricco entri nel regno dei cieli.* — E poi la risposta del Cristo al Fariseo: — *Se vuoi la salute, va, vendi ogni aver tuo, e danne il prezzo ai poveri.*

Queste parole avevano rimescolato le viscere del vecchio peccatore spaventato. Il suo animo fu sopraffatto da superstiziosi terrori.

Inoltre una voce gli sussurrava in cuore: — che ti servono a te oramai le ricchezze? tu sei impotente a goderne: poco ti resta da vivere — e tu dovresti sagrificar la tua salute eterna per il bene degli eredi?

Posta così la quistione — l'egoismo l'aveva sciolta subito. — L'avaro era diventato prodigo per ispeculazione, e collocava i suoi averi all'interesse nella cassa pensioni del Padre eterno.

5

Ma ciò non poteva sembrare ugualmente utile a quei di casa sua, specialmente al figlio Angelo, che contava allora già più di trent'anni e che, da quando il padre s'era ammalato, si considerava come capo della famiglia. Egli aveva col sangue ereditato tutta la sordidezza e la prepotenza del padre: — si oppose vigorosamente alla sua ruinosa follia. Non lo perdette più d'occhio un minuto; prese un robusto montanaro tra i suoi mandriani e lo creò carceriere del vecchio idiota. Costui, felice di vendicarsi dei maltrattamenti avuti dal Deboni, fece il mestiere a meraviglia; — — custodiva rigorosamente il suo padrone e lo picchiava un poco ogni giorno. La famiglia non se ne dava per intesa. Ma il povero rimbambito entrava in parossismi furiosi egli urlava come un ossesso — tanto che la gente si fermava nella strada. Un giorno qualcuno gridò ad alta voce contro queste violenze — e il montanaro affacciatosi alla finestra rispose

— Ma è pazzo, pazzo da legare.

Questa scena diede ad Angelo un'idea: pensò di liberarsi di quel fastidio col mettere il vecchio al manicomio.

E andò difilato dall'intendente. Ma questi, udito il suo desiderio, tirò innanzi delle difficoltà; — ci volevano tante condizioni per far ricoverare il vecchio — eppoi, egli non era povero, — era necessario pagare una retta mensile piuttosto grave.

Angelo uscì di là bestemmiando contro questa società che non gli usava la finezza di liberarlo di suo padre. Ma in quel torno una circostanza venne a favorire il suo disegno

Un giorno che pioveva a rovesci e le vie della piccola città erano mutate in torrentelli melmosi, un avvenimento stranissimo faceva dimenticare quel tempaccio agli avventori raccolti nella così detta bottega da caffè, l'unica del resto, a cinque leghe all'ingiro, che potesse portare o bene o male tal nome. La pareva mutata, all'immenso ronzio che vi si udiva, in un alveare di api antidiluviane: chi ragionava *ex cathedra*, chi avanzava osservazioni sommesse, chi parlava all'orecchio del vicino, chi girava da questo a quel capannello come in cerca di consigli o di spiegazioni; talchè la povera conduttrice del negozio, sudata come un pulcino, faceva una confusione non mai veduta nel distribuire le tazze di caffè, i *capiler corretti* e i bicchierini di *anesone* di Brescia.

— No, no, no, diceva a mezza voce, aggiustandosi la cravatta intorno al collo, il vecchio cancelliere Anastasio; no, qui c'è sotto un mistero.

— *Mysterium, mysterium invocat!* notava cattedraticamente il maestro di scuola; e, ne attesto i sette savi della Grecia, il mistero che circonda questi signori non comincia qui.

— Eh! bontà di Dio! voi siete pulcini nel guscio ancora; e volete pigolare, e delle cose e della gente delle grandi città. Se ci aveste passato un mese e cinque giorni di seguito, come me... bontà di Dio!.. a Milano! I palazzi, i teatri, gli equipaggi... il corso... il caffè, e.. come lo chiamano il laus... lans . chinetto, il maca.. ca... il camao.. giuochi d'inferno!.. Quante famiglie di cui ieri si parlava come del re Erode, ricchi da non saper più contar i denari... da un momento all'altro, trac! colle gambe all'aria... e chi l'ha avuta, l'ha avuta! Allora, somigliano buone anche le cittaduzze di campagna, anche le borgatelle dei montanari.

Chi parlava con tanta esperienza di causa era il
signor Ernesto, il più bel giovane del paese a detta
delle mammine, e quello che *vestiva* con maggior
garbo, a detta delle fanciulle. Quel mese e cinque
giorni passati a Milano lo circondavano di gloria,
come l'aureola dei Santi, ed egli passava la vita,
in un ozio senza riposo. bellimbusto davanti alla
farmacia e al caffè, giocatore ammanierato e pieno
di mentita sbadataggine al tavolino delle carte, an-
noiato e contento. sbadigliando e pavoneggiandosi,
capace di parlare dall'alto al basso anche col re, se
lo avesse incontrato, e lasciando sempre nel discorso
una filza di sottintesi che davano a pensare agli ingenui suoi compaesani chi sa quanti romanzi pieni
di tragiche e sentimentali vicende... tutte nel giro
di quel mese e di quei cinque giorni.

Egli si arricciò i lunghi baffi neri, arrotondò col-
l'indice della destra le tese di un cappello di feltro
di una bianchezza insolente. e lasciata cader con
grande rumore la stecca che aveva nella sinistra, e,
inalberandosi come uno che stia per prendere la
corsa, soggiunse:

— Le città... le grandi città come Milano! come
Parigi! — non sono stato a Parigi... ma fa lo stesso;
chi ha visto Milano ha visto Parigi... miglia più,
miglia meno. Il denaro fugge, scappa, scivola, sva-
pora, svanisce, dilegua... lo so io... pur troppo!

E abbassandosi all'orecchio del fabbriciere anziano
di S. Gaudenzio;

— Soltanto in donne!!!.. lo so io...

— Uh! cattivo soggetto!

E una risatina tra carne e pelle piena di libidine
senile e di riserva bigotta.

Ma la piccola porta dai vetri pieni di gemme di
pioggia, che vi serpeggiavano or rapide or lente in
tutte le direzioni, cigolò sui cardini, e l'apparire
di un personaggio dall'incesso lento e maestoso fece
restar lì di botto tutte quelle labbra cicaleggianti,
ronzanti e roboanti. Il piccolo cancelliere si alzò,
fece un arco della schiena, afferrò una sedia, l'alzò
di peso, l'offerse; il fabbriciere spalancò una enorme
scatola, schiuse un sorriso cretino, si ripulì le labbra
colla lingua e mormorò un « posso? » dolce come
una ciliegia bucherata dai passeri; il bell'Ernesto se
ne ritornò al bigliardo, con aria dispettosa. Prova-
tevi a interrompere un agricoltore che parla di un
prato di marcita, o un veterano che descrive un
campo di battaglia!

Il nuovo arrivato, nientemeno che la prima autorità della provincia, il rappresentante del governo,
il signor « Intendente » come dicevasi a que' tempi
in Piemonte, chiuse con calma e dignità l'ampio
ombrello scarlatto dal manico d'ottone, e passando
coll'indifferenza di un nume fra gli astanti, andò a
consegnarlo alla padrona perchè lo facesse asciugare,
poi, sempre con quel tal passo, tornò indietro, sedette, non prima di aver ben divise l'una dall'altra
le falde del lungo soprabito, cavò il fazzoletto, si
soffiò il naso, vi raddrizzò sopra gli occhiali, e, final-
nalmente, con una voce da basso sfiatato·

— Servo di loro signori, disse, guardandosi intorno senza girar il capo, tempaccio da lupi, eh!
tempaccio da lupi.

E il maestro di scuola, il quale doveva essere un
uomo maligno, e che, solo fra tutti, non aveva mutato contegno all'arrivo del signor Intendente, pen-

sava più che non mormorasse facendo mostra di
gettar gli occhi su un vecchio giornale:

« .   Graviter commotus , et alto
Prospiciens , summa placidum caput extulit nuda ».

Grandi erano il rispetto e la deferenza che crea-
vano intorno al signor Intendente l'alta sua carica
e il suo burbero carattere; ma, quel giorno, l'emozione degli animi era tanta che deferenza e rispetto
furono posti in un canto per dar luogo ad una salva
di interrogazioni che si successero fitte e insistenti
come una gragnuola di maggio.

Lungi dall'indispettirsi per la insolita mancanza
ai riguardi dovutigli, il degno magistrato, senza dar
risposta a nessuno, appoggiate ambo le mani al tavolo. gongolava, e incrociate le dita, faceva girar
chetamente l'uno intorno all'altro i due pollici; ciò
che è un segno non dubbio di benessere e di soddisfazione

Cessata finalmente la tempesta, fu un silenzio profondo, religioso, solenne. Uno andò a chiudere per
bene gli usci perchè nessuno stridor di molla o di
cardini venisse a sturbar la voce invocata; dietro
il banco si cessò di ripulir chicchere e cucchiaini,
e la padrona, raggomitolato il grembiale e assicu-
ratolo alla cintura per di dietro, venne a collocarsi
nell'uditorio, a rispettosa distanza, s'intende. S'u-
diva il passo delle mosche che gremivano il soffitto.

Il signor Intendente si soffiò un'altra volta il naso,
si racconciò un'altra volta le falde dell'abito, un'altra
volta diè un piccolo colpo magico agli occhiali, e,
come se parlasse dall'alto della bigoncia, così prese
a dire:

— Fin dalle prime trattative intavolate fra il signor De Emma, da oggi nostro novello concittadino, e l'israelita Zaccaria, desse furono note a questa Regia Intendenza. Non che i due contrattanti, o solo uno dei due ne avesse resa cognita l'autorità; a ciò nessuna legge obbligavali. Tale comunicazione sarebbe stata atto di pura cortesia; ma tale comunicazione all'autorità non fu fatta. Tuttavia, o signori, benchè le finestre del regio palazzo ov'essa ha sua sede, appaiano chiuse la più parte del giorno, e benchè qui il nostro caro cancelliere si vegga passar tante ore seduto al tavolino del tresette (e i due auguri sorrisero, l'uno maliziosamente, l'altro con un sorriso vago e melenso). tuttavia, dico, essa, l'autorità, non cessa un minuto mai di aver occhi per vedere, orecchie per udire. non cessa un istante di vegliare *au salut de l'empire*, come diceva mio padre di buona memoria. cantarellando vicino al fuoco.

Scrissi quindi, privatamente, prima, ad alcune influentissime persone di Milano, — persone alto locate, assai alto locate, che mi onorano di loro stima e amicizia, per aver informazioni sul conto del signor D'Emma e famiglia.

Non posso attribuire il loro ostinato silenzio alle mie replicatissime lettere, a una dimenticanza a un oblio, che offenderebbero, oltre che la mia persona, anche le vostre, o signori, di cui sono, e me ne onoro, il rappresentante.... benchè indegno.... come dice il parroco quando si dà il nome di pastore

Un mormorio che voleva significare: « le pare, degnissimo! ma so ben che scherza ecc. ecc. » salì alle nari dell'Intendente. più soave della presa di tabacco che gli tenne dietro.

Il magistrato continuò:

— Difficilissima posizione, o signori, è la mia.
Alte questioni di giurisprudenza ci sorgono intorno
ad ogni piè sospinto nella intricata selva della ammi-
nistrazione. Dove finisce il diritto privato, dove l'ingerenza del pubblico diritto incomincia? Come uomo,
come figlio di questo fortunato comune che il governo di Sua Maestà Sabauda mi assegnava come
una seconda patria, e tale è per me, voi lo sapete,
— io poneva a me stesso questa domanda: noi siamo
davanti ad un fatto nuovo, stranissimo, oscuro, il
quale presenta, sotto ogni lato considerar lo si voglia, adito al sospetto, al dubbio, alle incertezze,
alle diffidenze. E che, o signori! Una delle più ampie
e considerevoli case della nostra città, è cercata,
contrattata, venduta, nell'ombra, nel mistero, come
se in quella ricerca, in quel contratto, in quell'affare
si nascondesse un delitto. Il venditore interrogato,
non risponde, si eclissa, diventa invisibile. L'acqui-
sitore è assente e direi quasi d'ignota dimora. Si sa
finalmente che giungerà da Milano; più tardi, che si
chiama il signor Abbondio de Emma. La vecchia
casa del Giudeo viene in fretta ed in furia riattata:
eccoci invasi da una turba di operai d'ogni mestiere
e condizione; arrivano carri pieni di suppellettili: l'oro
e i marmi scintillano di sotto alle imbottiture indiscrete e alle coperte che svolazzano al vento. Tutto
ciò, — una montagna di roba, — entra, si ammassa
là dentro: la porta si chiude; e così ermeticamente
che un gatto non potrebbe trovar un buco per cui
dare un'occhiata... — Signori, ho letto, nei tempi
in cui avevo tempo da perdere, le *mille e una notti,*
un libro pieno delle cose più stravaganti di questo
mondo e dell'altro. Ebbene, assistendo a questo spet-

tacolo, quel libro mi tornò in mente. L'impressione
che questo complesso di cose fece sull'animo mio,
d'uomo e di cittadino, fu l'impressione che voi tutti
provaste, o signori Me lo dicevano, fin dal primo
giorno, i vostri sguardi scrutatori, le vostre sommesse parole; le timide inchieste delle vostre spose
e delle vostre fanciulle me lo dicevano. Questa nostra
pacifica famiglia, così calma nella sua modestia, così
modesta nella sua calma, somigliava ad un nido su
cui passi d'improvviso l'ombra di qualche augello
solitario e lontano.

A questa immagine poetica e peregrina, il facondo
oratore si arrestò, e parve accorgersi che era da un
pezzo che si logorava i polmoni, giacchè, voltosi
alla padrona che lo guardava tutta attonita, coll'ammirazione beata di chi non capisce ciò che ascolta,
le ordinò con aria di paterna protezione:

— Madama... una *mezz'acqua* d'agro: mah!... mi
raccomando.

Fu servito, bevette un sorsellino, si soffiò il naso,
ecc. ecc., e riprese:

— È colomba o avoltoio cotesto signor De Emma?
Ci porterà la benedizione o la rapina? Ecco il pensiero che mi assediava e pesava, lo so, sulla città
intera Ma, ripeto: dove finisce il diritto privato,
dove comincia l'ingerenza del pubblico diritto? Oh!
se si fosse sconnessa una sola pietra del selciato di
publico dominio davanti alla casa Zaccaria, se vi
avessero ammonticchiati sol quattro mattoni che disturbassero più o meno la circolazione, oh! siatene
certi signori, che in tal caso avrei scritto immediatamente *ex* ufficio, e tutto sarebbe venuto alla luce.
Ma nulla di tuttociò; non uno spruzzo di calce, non
un granello di sabbia su cui poter movere il più mo-

desto lamento. Ecco perchè non scrissi, dapprima
che in forma affatto privata e confidenziale. Confido,
o signori, che voi apprezzerete questo mio prudente
procedimento.

— Però.. tuttavia... osarono interrompere alcuni
sommessamente.

Il signor Intendente alzò allora il capo, a guisa
del gallo che sta per cantare; — e fu con tono di
superna commiserazione per quegli ingenui inter-
ruttori che ripigliò:

— Tuttavia, però, se.... ma.... davvero che, con
tutto il rispetto dovuto, miei cari signori, mi fanno
da ridere. Mi ascoltino, e s'accorgeranno che l'autorità sa e può fare il suo dovere. Irritato dal silenzio dei miei amici di Milano, e come il mistero
in quistione cresceva ogni giorno e assumeva ogni
giorno più allarmanti proporzioni...... — Tuttavia,
però.... dicevano loro signori? Ebbene io presi una
eroica decisione: riferii il fatto nei suoi minuti particolari all'illustre mio collega. che è a capo della
regia Intendenza centrale di Novara, chiedendo per
mia regola e per tranquillità dei miei amministrati,
ampie, formali, categoriche informazioni.

— E...? E....? Si udì da tutte le parti.

— E le informazioni mi sono giunte categoriche,
ampie, formali!

Viaggiando in ferrovia, voi avete provato senza
dubbio insieme ai vostri compagni di viaggio quel
senso di sollievo che vi allarga il petto, avete mormorato o pensato quell'*ah!* della liberazione che sale
involontariamente alle labbra, quando dopo essere
stati sepolti dei minuti che sembrano eterni nella
oscurità fuliginosa di una galleria, il convoglio sbuca
finalmente a riveder la luce del sole.

Così respirarono tutti gli avventori del piccolo
caffè, alle ultime parole dell'Intendente, mentre un
pallido raggio di sole si faceva strada attraverso
alla pioggia diminuente, come se anche la natura
sentisse il bisogno di tirar il fiato dopo quella interminabile filastrocca.

Per giustificare ancor meglio quella febbrile curiosità, mi basterà dire (avrei veramente dovuto dirlo
prima) che quel mattino stesso quattro carrozze da
posta portanti il misterioso signor De Emma, la sua
famiglia e uno stuolo numeroso di servidorame erano
trionfalmente entrate per la via principale, facendo
traballar le imposte delle case e più ancora la fantasia dei loro abitanti.

Momento solenne! Il piccolo cancelliere allungava
il collo, si palpava le braccia, spirava tenerezza e
beatitudine da tutti i pori, dileguava come un sor-
betto, il fabbriciere cacciava fuori dell'orbita due
occhi vischiosi che somigliavano due pallottole di
amatista, e non s'accorgeva d'aver in mano la scatola da cinque minuti e che metà del tabacco era
andato ad asciugare i liquidi di cui era costellato
il pavimento Anche il maestro che aveva appena
mostrato di prestar attenzione al bello stile del magistrato, si era degnato di avvicinare la sedia, e,
guardando al soffitto per non aver l'aria di un gonzo
metteva negli orecchi tutto l'acume di cui privava
le pupille. La partita al bigliardo si era interrotta;
il bell'Ernesto, colla stecca fra le gambe e un moz-
zicone di zigaro spento in un angolo della bocca si
era abbassato al livello della attenzione di quei *pro-
vinciali*, la padrona del negozio si asciugava il sudore...

Il signor Intendente gongolava, gongolava....

XI.

Ed io?..

Io vorrei che la vostra curiosità, lettori, somigliasse, anche solo in diciottesimo, quella che mi faceva immobile sotto la cappa del camino, quando Bazzetta fu arrivato a questo punto della sua narrazione. La mia vanità di romanziere ne sarebbe più che solleticata.

Ma io e voi siamo meno fortunati, assai meno fortunati degli uditori del signor Intendente, i quali dopo aver aspettato per bene che egli delibasse il suo trionfo, facendoli languire a fuoco lento, alla perfine seppero quanto volevano sapere senza che nessun Baccio e nessun medico venisse a frapporsi e a troncar sul più bello la storia. Facciamo di necessità virtù, e vediamo che cosa succede di nuovo al presbiterio.

La notte (ve lo potete imaginare) era già di molto avanzata, quando, durante una meditata pausa del mio novelliere, ci giunse attraverso il giardino il suono ben distinto del passo di una cavalcatura

— Il dottore! sclamò Bazzetta, e, vuotato d'un fiato un altro bicchiere, s'alzò, scosse dalla giubba le ceneri della pipa e si avviò verso la porta. Nel tempo stesso Baccio picchiava colle sue dita nocchiute contro i vetri della finestra da cui la sua figura traspariva lunga lunga, per il riflesso della lampada e l'oscurità della notte.

Uscii per la porticina che Bazzetta si era affrettato ad aprire, la quale metteva nell'orto attiguo al giardino, il quale orto fiancheggiava il presbiterio

dal lato opposto alla chiesa. Da quello un'altra uscita
si apriva sulla strada dei monti.

Allora mi si presentò una figura, o meglio due
figure che ne facevano una sola, degna della matita
di Goya o della penna di Hoffman. Immaginatevi un
uomo alto quasi tre metri e una rozza lunga più di
quattro; sottili, allampanati, e cavallo e cavaliere,
come due candele poste in croce, e il grottesco profilo del famoso *cavaliere dalla trista figura*, vi parrà
al confronto, una immagine di quasi greca bellezza.

— I miei rispetti, signor dottore, disse il farmacista toccandosi il cappello, e aiutando il mio più
che don Chisciotte a disbrigarsi dalle staffe e a
smontare. Ella era già a letto mi immagino; io non
volevo che la disturbassero; come vede, vegliavo io,
e giacchè trattasi delle solite bagatelle....

— Eh, interruppe il medico con una voce timbrata
e sonora, e bella come poche ne intesi in mia vita,
sono abituato a queste passeggiate notturne. Fanno
bene all'anima e al corpo. E come va ora Don Luigi

Attaccato, così dicendo, il cavallo ad una infer-
riata, si avviò, come pratico della casa, verso la
scaletta per dove si saliva alle camere del curato.
Ma Bazzetta gli precluse il cammino e, presolo dolcemente per un braccio, lo trascinò verso un angolo
della cucina e gli si pose a parlare a bassa voce,
gesticolando con molta energia (ne avea vuotate
delle bottiglie!) e, non dubito, sforzandosi, con
una diagnosi delle più scrupolose, di scongiurare le
tanto paventate cacciate di sangue. Così ebbi agio
di considerar per bene la figura stranissima del medico.

Dissi stranissima; ma in questo caso la parola va
presa nel suo senso più artistico e più nobile, giacchè,

una volta diviso dalla sua rozza, quell'uomo presentava un aspetto le mille miglia lontano dal ricordare
l'eroe di Cervantes.

Calvo come un ginocchio, con due sole ciocche di
capelli grigi, nascenti poco più in su delle orecchie
e cadenti su quelle come due pezzuole bagnate, pareva che egli illuminasse gli oggetti intorno a sè
col raggio della fronte vastissima nella quale le
protuberanze che accusano l'istinto della meditazione assumevano quasi le proporzioni di una di-
fettuosità. I suoi occhi nerissimi sembravano voler
far dei pertugi nelle pareti; portava due baffi grigi
anch'essi, folti e corti, e un pizzo quasi bianco del
tutto, lunghissimo e aguzzo come un'ala di rondine.
Vestiva semplicemente: ma in quella semplicità traspariva alcunchè di ricercato che tradiva la presenza
di una donna amorosa alla sua toletta. Era un gentiluomo campagnuolo sotto le spoglie di un disce-
polo di Esculapio.

— Sono intirizzito, Baccio, e poichè Don Luigi
dorme ancora, una fiammata mi farebbe bene.

— Subito, rispose il campanaro, ma prima vado
a mettere in stalla quella povera bestia che è là
fuori. La conosco da un pezzo; se le rientra il sudore la vi ha la tosse per quindici giorni.

Il dottore lo lasciò uscire, e, senza darsi pensiero
alcuno di quella strana precedenza data alla sua bestia da Baccio, andò ai fornelli, ne tolse di sotto
una fascina, la gettò sul fuoco e, voltogli il dorso,
e spalancate le gambe, prese di buon grado la tazza
di vino presentatagli da Bazzetta.

Il quale, passandomi vicino, mi gettò all'orecchio
queste parole:

— A domani il resto della storiella; intanto, acqua in bocca, mi raccomando.

— Vi pare? ho promesso e vi basti.

— Ecco, signor dottore, un ospite giunto da ieri al signor curato. Un grande artista, uno scrittore, che so io, un poeta di Milano, che si diverte ad andare attorno a *ritrattare* le montagne, sicuro; un signore di Milano. Di Milano, non è vero?

Il lungo dottore si inchinò col miglior garbo del mondo.

Stavo per compire, o meglio, per rettificare a modo mio la presentazione, quando ai piedi della scala apparve la faccia pallida e sconvolta di Mansueta.

La poveretta aveva finto di obbedire all'ordine pietoso del farmacista, ma, invece di andarsi a coricare, aveva passato quelle lunghe ore, rannicchiata su di una seggiola, a piedi del letto del suo padrone, compulsandone il respiro, contandone i tremiti, — e veniva ad avvertirci che Don Luigi si era svegliato, che sospettava la presenza del medico e che era pronto a riceverlo.

Si salì tosto, i due della scienza in capo fila, io, Mansueta e Baccio dietro, sulla punta dei piedi e rattenendo il respiro.

Dal fondo della camera dove mi arrestai per non disturbare la visita, l'aspetto del buon curato mi apparve assai più calmo e riposato che non fosse l'ultima volta che lo avevo veduto. Egli era sul letto, meno coricato che seduto, appoggiando il dorso su tre ampi cuscini, colle braccia distese lungo il corpo, fuori della coltre, arrivandogli questa, stretta e distesa, alla metà del petto soltanto. Cosa non comune per un vecchio, nessuna benda o berretta gli

cingeva la testa, la sua canizie riposava liberamente
sul capezzale.

Ci mandò un sorriso collettivo, e stese la mano
al dottore, il quale, con mia meraviglia somma e
somma dolcezza, chinò il bel capo e baciolla. Allora
vi fu uno scambio di sguardi che non dimenticherò
mai. Quello di Don Luigi pareva dire:

« Voi sapete come e perchè! »

E quello del medico, corrucciato prima terribil-
mente, poscia d'un subito rassegnato:

« Pur troppo! »

Que' due sguardi racchiudevano tutto un dramma.

XII.

E un dramma sognai. molti drammi sognai, come
appena ebbi raggiunto il letto e chiusi gli occhi che,
dopo tante emozioni, ne avevano davvero bisogno.

La famiglia Deboni, il terribile Sindaco, l'abatino,
il caffè di Zughano. il signor Intendente, quel misterioso De Emma, passarono nel mio cervello come
in una lanterna magica, a due, a tre, a quattro,
isolati, tutti insieme, mischiandosi, urtandosi, fug-
gendosi, fondendosi, come un *imbroglio* degno delle
più romantiche *giornate* uscite dalla fantasia di Cal-
deron de La Barca o di Lopez de Vega

Sicchè, quando la luce del giorno venne a sve-
gliarmi, mi alzai balordo e rannugolato peggio di
un autore che ha passato la notte guardando la punta
asciutta di una penna di acciaio. Il tempo mi teneva
bordone. Quale spettacolo mi si offerse quando spa-
lancai le imposte! O sole, o beatitudine diffusa il dì
prima sull'universa natura! Più nulla! Il cielo, di

un grigio plumbeo ed uniforme avea fatto una discesa sulla terra; esso nascondeva le cime dei monti i quali parevano un altipiano fuggente in una linea retta senza soluzione di continuità, tracciata per il passaggio di un convoglio ferroviario. Più in giù di quell'immensa coperta bianca, erravano, squarciandosi alle cime arruffate dei pini, alcune nuvole vaporose che mutavano forma ad ogni minuto secondo, fiocchi di soffice cotone dispersi da un ventilabro invisibile. Aveva piovuto certo buona parte della notte; ogni foglia, ogni virgulto era una conca piena di goccie che ad una ad una, a intervalli uguali, faceano capolino all'orlo, si allungavano in forma di pere. staccavansi e precipitavano. Quelle migliaia e migliaia di stille facevano un rumor sottile, indefesso, impercettibile quasi, e che non ha nome nel vocabolario di nessuna lingua. Ora, pioveva ancora; ma, per accorgersene, era necessario affissar lo sguardo su qualche cosa di oscuro Le fronde pendevano immote, pure, di tratto in tratto, un alito leggiero di vento le scoteva mollemente; ciò ricorda quei respiri più lunghi del solito che sollevano a distanza di parecchi minuti il petto di chi dorme dopo una buona digestione, e che sembrano uscire per attestar che la vita palpita tuttavia sotto la completa immobilità. I passeri aggruppati in crocchi malinconici si scambiavano dalle folte macchie degli onici il loro cicaleccio di semicrome e di seminime affastellate, ma senza brio, senza vivacità, come per non tradir l'abitudine: e la rondine volava dalla campagna alla gronda, spossata, a malincuore, come un impiegato che vada all'ufficio col dolor di capo.

Giungeva dalle convalli il belato lamentevole delle capre e degli agnelli in collera col trifoglio bagnato;

le giovenche. più parche di fiato, rispondevano ogni
tanto con un lungo muggito che somigliava a una
raccomandazione di aver pazienza.

Sulla strada costeggiante il muro del giardino,
quella dove il dì prima si erano fermati a colloquio
il Sindaco e il farmacista, sbucò d'improvviso una
truce apparizione: un uomo con una cassa a spalle,
una cassa da morto. Egli camminava a fatica sotto
il peso, il quale, a tutti gli alberi che incontrava,
ne scoteva, urtandovi, uno scroscio di goccie di
pioggia che prevenivano così quelle dell'acqua benedetta. L'uomo, ad ogni nuovo scrollo, usciva in una
bestemmia.

M'accorsi allora delle campane che suonavano pei
funerali della povera Gina.

Ed io che il dì innanzi, a quella finestra, aveva
nell'anima un carnevale di rime!

Discesi, e trovai preparata la tavola per la colazione.

— Tre posate? chiesi a Baccio che ripuliva, stro-
finando e soffiando, il mobiglio.

— Ma sicuro; uno voi, due il signor Bazzetta e
tre il signor De Emma.

— Il signor De Emma! sclamai, balzando come se
mi si fosse posta sotto i piedi una lastra rovente.
Ma chi è il signor De Emma?....

— Eh! Come non lo sapete? Il signor medico.....
quello che ho condotto a casa io, ieri sera Siccome
faceva un tempo del diavolo, — voi non ve ne siete
accorto perchè chi sa come avete dormito.... non
potevate tener gli occhi aperti, — e che la veniva
a rovesci, si è deciso a passar qui la notte. E a momenti verrà a tenervi compagnia.

Io era colpito dal fulmine. Pronunciando quel nome, Baccio mi aveva rubato, tradito, assassinato! Io che sognavo nello sconosciuto, nell'innominato di Zugliano, un fantastico personaggio da romanzo a sensazione, un grande colpevole o una grande vittima costretta dalla fatalità a ricoverarsi nella solitudine e nell'ombra, mi trovava in faccia al mio ideale rimpicciolito nella casacca di un semplice medico! Mi si calava la tela sul più bello del primo atto, mi si era carpito il denaro del biglietto d'ingresso! Addio curiosità, addio interesse! Povero Bazzetta! E che noiosa giornata mi si parava d'innanzi!

Meditavo sul mio avverso destino, quando un rapido movimento di Baccio mi fè volgere la testa malinconicamente china al pavimento. Come se un cenno imperioso lo avesse chiamato, lasciò la granata e un cencio che avea fra le mani e con quelle sue gambe affusolate fu nel giardino in due salti. Lo seguii istintivamente, ma mi arrestai tosto, udendo la voce di Bazzetta che, nascosto dietro lo spigolo, parlava a bassa voce al campanaro, a due passi dalla finestra.

— Ricordati bene di quanto ti dico. Non pronunciar mai, in presenza del forestiero, nè il nome, nè il cognome del dottore. Se ti occorre parlargli, di' «signor dottore» e basta. Hai capito? Lo so io il perche... è una celia, una improvvisata che voglio fare. Siamo intesi.

Bazzetta doveva essere un ben noto burlone, e Baccio molto abituato alle sue gherminelle, per rispondergli con perfetta semplicità, come alla cosa più naturale del mondo, un asciutto:

— Va bene.

Questa ingiunzione confidenziale, ghermita cosl
senza intenzione, mi rasserenò. Ah! caro Bazzetta,
pensaci, tu mi vuoi serbare da abile drammaturgo,
il piacere di una sorpresa, — e, — briccone! — non
tanto per procurarmi una emozione quanto per interesse tuo, darti spasso di me. A noi due, la partita è
doppia, e vedremo chi sarà il più furbo Intanto ecco
in mancanza del mistero, un intrighetto *extra ma-
china,* che condirà per bene, ed a mio solo profitto,
il resto del tuo racconto.

— Bravo il mio Baccio, siamo a tempo? sclamò
il farmacista, entrando.

— Manca il signor dottore.

— Ci sono.

Il signor De Emma entrò e sedemmo

Non si trovarono mai riuniti al medesimo desco,
tre commensali più imbarazzati, e più incerti del
loro contegno Risparmierò quindi di ricordarmi i
discorsi o meglio i monosillabi che furono scambiati
in quella mezz'ora di pasto frugale, dopo il quale il
medico si accommiatò e sparve sulla sua rozza per la
porta da cui era giunto la sera.

Bazzetta mi invitò ad uscire per prendere una
« boccatinina » d'aria, e visitar poi la sua farmacia
dove,

— Noi due soli, soggiunse ammiccando gli occhi,
in santa pace, con un vinettino bianco che vi pia-
cerà, faremo di passar la giornata alla meglio.

— Dite che la passeremo a meraviglia se mi con-
tinuerete la storia del Sindaco. Ardo dal desiderio
di conoscere finalmente il misterioso signor De Emma
da voi dipintomi con sì bizzarri colori.

— Si continuerà, rispose Bazzetta, e la sua faccia
furba fu solcata da un sorriso che voleva dire: « se
tu sapessi come ti godo! »

Quanto al sorriso che nascosi io alla meglio, e che fortunatamente potè sfuggire a Bazzetta, imaginatevi voi che cosa dicesse.

Eravamo giunti a metà del sagrato su cui il piede scivolava per l'erba bagnata che divideva in quadrati innumerevoli le pietre, levigate e lucide come cristallo.

— Ah! me n'ero scordato! sclamò il farmacista fermandosi di botto; c'è il funerale di quella povera creatura!

E mi additò la strada in faccia a me, ed il villaggio da cui sbucava una lunga processione davanti a cui s'alzava pencolando ora a destra ora a mancina, un sottile crocifisso abbrunato.

— Converrà ch'io ci assista, seguitò il Bazzetta: sapete, nei piccoli paesi bisogna conformarsi..... e poi... il vedovo mi deve una somma rotondettina, — sei mesi di malattia, — coglierebbe il pretesto della mia mancanza al funerale per lesinar sul conto e portar il saldo alle calende greche. Questi montanari, sapete, uh! sono più furbi di noi. Voi, del resto, non importa, se non vi piace, potete tralasciare....

— No, no, vi tengo compagnia.

— Allora poniamoci qui in disparte, a vederli passare. Entreremo in coda.

Ci levammo il cappello; il funebre corteo era giunto sul sagrato.

Quella smilza croce pencolante, dalle cui estremità orizzontali pioveva ogni tanto una goccia di pioggia sui gomiti allargati del portatore, pareva salutar tristemente da una parte e dall'altra, davanti e di dietro con moti sussultorii ora rapidi ora solenni, come fa chi cammina dopo aver troppo bevuto.

Il portatore era un vecchio piccolo, magro, serio,
maestoso, e da uomo che compie in pubblico un
ministero glorioso e invidiato, — e sudava come una
spugna compressa. Venivano dietro di lui don Gaudenzio coll'aspersorio in mano, alzato in alto come
una sciabola, e un chierico che portava con evangelica rassegnazione una delle più belle gobbe ch'io
abbia mai viste. Poi, a due a due, i terrazzani di
ogni età, d'ogni statura, ma assimilati, grandi e piccoli, giovani e vecchi, da una specie di cotta rossa
scendente fino quasi agli stinchi e sormontata da
una pellegrina che avrebbe dovuto esser bianca, e
qua e là l'era e non l'era. Salmodiavano, spalancando
enormemente la bocca, guardando in cielo con occhi
bovini e indietro di tanto in tanto, per compiacersi
della funzione e per veder se il convoglio cresceva
o diminuiva. Di sotto alla tunica uscian loro i calzoni di frustagno e le enormi scarpe inzaccherate.
Alcuni, fra i giovani, i quali probabilmente avean
comprata o ereditata quell'uniforme medioevale da
qualche confratello di statura più alta della loro, la
sorreggevano dandosi l'aria di non parere, appoggiando una mano sull'anca o nascondendola fra le
pieghe. Di tanto in tanto la fila che si stendeva sul
sagrato colle sinuosità di una biscia, veniva scom-
posta dalla sbadataggine di qualche ragazzotto, sulla
testa del quale, pronto come il baleno, cadeva uno
scapellotto sonoro, se non era un urtone inflittogli
per di dietro da qualche ginocchio poco cavalleresco.

Il feretro sorretto da quattro robusti montanari,
probabilmente i parenti della defunta e del vedovo,
si avanzava col movimento delle navi che pendono
troppo in avanti. Era coperto di un drappo nero, ai
lati del quale scorgevansi delle figure dipinte cir-

condate da fregi ricamati in oro sbiadito. Non una corona, non un fiore su quel povero cadavere disteso.

Son troppi rozzi quei poveri iloti del lavoro e del sacrificio per intendere e apprezzar le dolcezze simboliche di cui la società posta più in alto circonda lo spettacolo del feretro e della tomba. Sul legno volgare dei loro cataletti essi non sanno che spargere lagrime; non sanno che lasciar crescere l'erba selvatica sulle loro fosse senza cippi e senza iscrizione, ma che i dolenti rintracciano come guidati da uno istinto pietoso o come se udissero una voce che li chiamasse da sotterra

Non so perchè le donne, che seguivano in gran numero il feretro, non erano disposte in fila a due a due, come gli uomini. Forse perchè erano desse le veramente afflitte: e il dolore si ribella alle leggi dell'ordine. Quasi tutte singhiozzavano; molte avevano il grossolano fazzoletto turchino e rosso sugli occhi, parecchie, le fanciulle in ispecie, portavano in tutta la persona, i segni di una angoscia pensierosa e profonda.

L'umile corteggio, composto di poco meno di un centinaio di persone, era chiuso da altri terrazzani che, non appartenendo alla Confraternita, si erano messi i loro giubboni della festa; e in mezzo a loro, correndo innanzi e indietro, fra le gambe e gli ombrelli chiusi, una masnada di ragazzetti scamiciati pei quali quella riunione di gente era una festa tanto più gradita perchè era una soprappiù delle solite del calendario.

La bara deposta, i *Fratelli*, divisi in due schiere, andarono ad uno ad uno a collocarsi dietro l'altar maggiore. Tutti gli altri si gettarono in ginocchio. Squillò sottilmente un campanello. Don Sebastiano

uscì a dir la messa· il coro intuonò le funebri litanie
Otto grosse candele ardevano intorno alla morta, e
la cera gocciolava agglomerandosi lunghesse in grosse
e bizzarre stalattiti, che Baccio, in ciò assai più
decoroso dei sagrestani di città, si guardava bene
di andar a raccogliere. Alcuna di esse, staccandosi
di un tratto, andava a cader sui bossoli di metallo;
ciò produceva un rumor secco e forte che faceva
alzar qualche testa piamente china, e bisbigliare e
farsi dar del gomito i ragazzi. Il prete salutava il
tabernacolo, si curvava, si rialzava, spalancava le
braccia; dal coro giungevano gli *ora pro ea,* or
gutturali or in tono sostenuto, a uguali intervalli.

Uno sprazzo di pallida luce illuminò d'improvviso
un angolo della chiesa, e tosto svanì, una porta
laterale si era aperta e rinchiusa. Un uomo era entrato, che non si fece il segno della croce, non piegò
il ginocchio, ma si addossò alla parete e vi restò
ritto come una statua. Soltanto che uno scrollo lo
scoteva ogni tanto da capo ai piedi; allora si passava una mano sulla fronte e poi tentava di farsi
ancor più istecchito, come se volesse penetrare nel
muro che lo sosteneva.

Un sordo mormorio, come s'ode nella foresta quando
una corrente d'acqua è vicina, era corso da un capo
all'altro di quella folla inginocchiata.

— È il marito della povera morta. mi disse all'orecchio Bazzetta.

In questo, Baccio attraversò difilato la chiesa,
nella direzione di quell'uomo; ma costui come se lo
vide vicino, alzò un braccio e parve dare un comando
a cui fosse impossibile non obbedire. E infatti, l'onesto
campanaro si arrestò di botto. stette un istante come

indeciso, poi chinò il capo e ritornò sui proprii passi.

Quando furono finite le esequie e mentre la processione avviavasi verso il cimitero, ne feci uscir Baccio con un cenno, e gli chiesi ·

— Che cosa vi ha detto quell'infelice?

— Va via! mi ha detto, va via, e con una voce che mi ha fatto gelare il sangue nelle vene. E sì che le mie erano buone intenzioni; volevo strapparlo da quella scena.... Va via, mi ha detto, come a un cane!

Non so quale attrazione irresistibile mi spingeva a rientrar nella chiesa. La costeggiai, per non dar nell'occhio a nessuno, e vi rientrai infatti, ma piano piano, a passo di lupo, come se fossi per commettere un delitto — dalla porticina da cui era apparso il vedovo.

Quale scena, gran Dio!

Egli era sulla soglia della sagrestia, ai piedi di Don Sebastiano ancor coperto degli abiti con cui aveva officiato, e gli stringeva e gli baciava le mani e gli si avvinghiava al corpo, gemendo, interrotto da rantoli e da singhiozzi ·

— Oh! per l'amore del cielo! Buon prete del Signore, aiutatemi a non morire in grazia dei miei poveri bambini. Vedete... ho pensato tutta notte che mi sarei gettato anch'io dentro nella fossa e l'avrei abbracciata così forte quella cassa benedetta che non me ne avrebbero potuto strappar fuori... — Don Sebastiano! per carità... ditemi voi qualche cosa... voi che l'avete bagnata adesso coll'acqua benedetta... perdo la testa; vedo la chiesa, la santa chiesa che gira, che gira, che gira! aiutatemi a non morire. . lo sapete anche voi, non posso morire... i bambini.

i poveri disgraziati... tre!... li ho mandati sulla montagna.. non sanno niente... quando torneranno a
casa!... O povero me!... aiutatemi. per carità, lasciatemi sentire questo odore d'incenso che mi va al
cuore... ditemi che cosa devo fare perchè il Signore
mi soccorra...

Lo sventurato si aggrappava al lungo sacerdote e
sprofondava il capo nelle ampie pieghe della negra
sottana e nei merletti bianchi della cotta, mentre
le sue gambe si contorcevano sul pavimento come
agitate da una convulsione spasmodica

Allora dalle labbra di quel prete il cui volto non
aveva mutato nè colore, nè espressione, udii cader,
gelate, asciutte, plumbee, feroci, queste parole:

— Ho altro adesso da fare: il mio caro indiscreto
che sei Lasciami dunque andar la stola una volta.
tu me la insudici colle tue lagrime. O che credi di
risuscitarla con queste pazzie Lasciami andare ti
dico. Non ti basta la messa! Colle buone, va via!...

E dato colle sue scarne braccia uno scrollo, si
liberò dal supplicante. il quale si lasciò cader per
terra colla testa nelle mani, mentre il gobbo chierico,
datogli un'occhiata di ebete curiosità, rinchiudeva
a chiave la porta della sagrestia.

Volai fuori, più che non uscissi, da quella chiesa
che non doveva aver più per me l'ombra neppure
di una illusione. e non so per quanto tempo corsi
pei prati e pei boschi, sbalordito, commosso di pietà
e di sdegno fino alle lagrime. quasi fuori di me. Ma
conveniva pure non abusare della bontà di Bazzetta.
e la continuazione del suo racconto era fatta per
sollevarmi l'animo o almeno deviarmi il pensiero
dalla cosa spaventosa che mi aveva siffattamente
scombussolato.

Lo trovai nella sua farmacia, dietro il banco, occupato a servire una vecchia montanara catarrosa e febbricitante. Veder quella donna che, di femminile, non aveva che la gonna cenciosa, e pensare alle roccie basaltiche tutte a buchi e a crepacci, che si trovano sulle cime, in mezzo al verde, sparpagliate non si sa come e perchè — era la stessa cosa. Quella creatura apparteneva alla montagna, era una parte di essa; salendovi e scendendovi per settant'anni (che meno non ne mostrava) se ne era compenetrata la natura. Come esistono rupi che hanno profili umani, — argomenti a così buie leggende, — quella vecchia aveva le sembianze di una rupe; con un po' di fantasia ne avreste scoperto sull'epidermide i licheni e il muschio. Ella brontolava senza interruzione, con una voce chioccia e malinconica la litania delle sue sofferenze; il farmacista continuava imperturbabilmente a stritolare le sue droghe in un mortaio di marmo, mescendovi ogni tanto qualche gocciola di valeriana, con una eleganza tutta particolare, e un sorrisetto d'uomo contento. Era, per un simile paesucolo, una farmacia veramente bella. Il legno inverniciato e i vetri degli scaffali erano senza scrostature e senza macchie. Le due bilancie scintillavano, tazze di porcellana, scodellini di ottone, cucchiai, forbici, il rotolo di cordicina color rosa, tutto era al suo posto, come se si trattasse di essere ispezionati da una commissione della Facoltà di Medicina. La porta d'ingresso era ampia; su una delle lastre stava scritto in lettere gotiche: *Medicamenti nazionali ed esteri;* sull'altra: *Zafferano d'Aquila e Vischio sopraffino.* Le finestre ai due lati, dovevano nei giorni di sole versare una luce carissima in quell'ambiente. Da una piccola porta che si apriva

sul fondo, a sinistra dell'armadio principale, scopri-
vasi un portichetto, un cortile, e più in là, dietro
un cancello di legno dipinto in verde, un giardino
o un orto che fosse.

— Uh' signor Bazzetta, continuava la vecchia,
se provasse. Qui vede... mi fa sempre tac, tac, tac.

— Già, già, già!

— E di notte poi... è come una cosa che mi vien
su, su... che mi par di morire...

— Ah vi par di morire?

— Come è vero Maria Vergine. È sempre quel
tac, tac, tac.

— Già, già.

— E guarirò, dice, con quella polvere lì?

— Vent'anni di meno ci vorrebbero a spalle, la
mia comare, e vi risponderei subito di sì.

— Se non è che per questo! Il mio bisnonno è
morto che aveva centosei anni e due mesi, la mamma
mia, che Dio l'abbia in gloria, ne aveva novantasei
quando e caduta nel pozzo Senza quel pozzo, vi-
vrebbe ancora che sarebbe un piacere a vederla.

— In un museo, osservò Bazzetta, e mentre la
comare si contorceva per la tosse, — ecco qua,
aggiunse, un cucchiaio ogni tre ore... e abbandonar
l'acquavite. Avete inteso. Addio.

E la congedò dandole amichevolmente del palmo
sulle spalle, ciò che mi parve facesse un gran piacere
a colei, che uscì dedicandomi un inchino grottesco.

— Ed ora a noi! Aspettatemi un momento che
vado per un certo affarettino: intanto affilate le
orecchie.

Ritornò quasi tosto e m'introdusse sotto il portichetto, dopo aver dato una girata di chiave alla
bottega.

Trovai due comode seggiole davanti a un piccolo tavolo dove ergevasi maestosa una pingue bottiglia di vino bianco fra due enormi bicchieri.

— Qui nessuno ci sentirà, e c'è un fresco che consola. Un sorso e riprendo il filo.

Così, in vera santa pace, il facondo Bazzetta cominciò:

— Dicevamo dunque che era arrivato a Zughano il De Emma e che la curiosità era grande di sapere i fatti suoi Del resto si ha il diritto, quando arriva in paese un forastiere, di conoscere chi è... per potersi regolare. Io fui dei primi a conoscere la verità, quando meno me lo aspettava. Naturale. Il signor De Emma era un medico; tornava dall'Inghilterra, e mezzo per vaghezza di studio, mezzo per occuparsi, innamorato delle nostre montagne, veniva a stabilirvi una casa di salute. La nostra farmacia ebbe dunque subito dei rapporti con lui.

Il dottore si dedicava quasi esclusivamente alle malattie di cervello. E, come vi dissi, l'Angelo De Boni si arrovellava allora per liberarsi del padre. Lo presentai al De Emma, il quale, per sottrarre il vecchio alle sevizie della famiglia, acconsentì, mediante una modica pensione a prenderlo nel suo nuovo stabilimento.

Il vecchio non oppose alcuna resistenza, ma concepì un odio implacabile per quelli della sua famiglia, tantochè non voleva più vederli. Ciò dava fastidio ad Angelo, perchè non essendo accertata giuridicamente l'alienazione mentale del padre, egli ne temeva un testamento di vendetta. Del resto il vecchio era mansuetissimo; — solo rimaneva chiuso, muto, assorto tutto il giorno nella lettura dei suoi libri religiosi.

Il signor De Emma aveva con sè due giovani donne:
una inglese, sua moglie, — l'altra italiana, vezzosissima, i cui rapporti colla famiglia per allora rima-
sero ignoti. Si credeva fosse un'inferma in cura del
dottore — tanto era patita e sparuta. Costei, per
suo gusto, si occupava degli ospiti dello stabilimento.

Aveva una pazienza, e certe maniere e certo visino
dolce, amorevole, che i malati presero a volerle bene:
era un pallido raggio di sole nella tenebria squallida
della loro vita di ospedale.

Ed anche il De Boni non rimase insensibile alle
sue cure — Un giorno che il poveraccio s'affati-
cava, a forza di lenti, di decifrare il carattere minu-
tissimo di un *Sant'Agostino*, ella glielo prese di mano,
sedette accanto al letto e gli fè lettura. Poi ci tornò
ogni dì. In breve ella acquistò imperio grandissimo
su quel bietolone. E fu in grazia sua se il signor
Angelo potè ripresentarsi al suo padre senza farlo
montare in furore.... La giovinetta un po' colle buone,
un po' colle brusche, come si usa coi ragazzi, sapeva
ridurlo docile come un agnello; — tutte le volte che
il figlio si presentava, era lei la sua introduttrice e
assisteva a tutti i loro colloqui. Strani colloqui di
grugniti e di muggiti non interotti che dalle soavi
sue parole. Ella faceva da interprete, da paciera....

In quella il vecchio orologio a pendolo della scala
battè sei colpi.

— Sei ore, sclamò Bazzetta, già sei ore!

Era scritto ch'io dovessi rimanere un altro pezzo
con la mia curiosità oramai vivissima.

XII

Le ampolle e gli ampollini, i vasi di porcellana, le tazzette di marmo, i pestelli, le forbici, i cucchiai, i bistorini, le pentoline, le casseruole, le caldaie, i filtri, i setacci, le ventole e tutti gli altri utensili che abbellivano il porticato e la farmacia dell'onorevole mio collaboratore Bazzetta perdevano a poco a poco le scintille del sole che declinava.

— A rivederci stasera, mi disse Bazzetta, stringendomi la mano energicamente, molto energicamente. Sono le sei, vo' a pranzo da quella bestia di Sindaco, del quale vi dirò poi... ma... zitto.

Ed uscì frettoloso, lasciandomi solo nella sua simpatica botteguccia

— Eccolo; è lui!

— Parlagli, il papà è uscito.

— Non ho coraggio...

— Vuoi che parli io?

— Sei matta? Tocca a me!

— E se ti tocca, parla.

Queste parole « di color oscuro » erano sussurrate dietro un piccolo uscio che metteva al porticato.

Le interlocutrici — me ne accorsi alle fisonomie intravedute dalle fessure — erano la moglie e la figliuola di Bazzetta.

La conversazione continuò così:

— Mamma, il babbo gli ha detto tutto.

— Grulla!

— E che!

— Fatti avanti.

— Tocca a te che sei la mamma

— A te che sei più franca...

E mi comparvero davanti due cose femminili.

Vi dipingo a larghe pennellate la moglie del farmacista.

Era lunga, lunga, lunga; aveva gli occhi nella nuca e le ciocche dei capelli a un centimetro più innanzi della punta del naso! E che punta e che naso! Lunga, lunga e scialba del colore dei ceri da funerale; le mancavano due lettere dell'alfabeto, l'erre e l'esse; sputava formidabilmente ad ogni monosillabo.

Era guercia.

Quanto ad Ermenegilda (che nome!) la figliuola di Bazzetta era un coso femminile di rarissima specie.

Alquanto meno lunga della madre, sembrava più piccola che non fosse perchè era grassa e paffuta come un dindo nutrito da una brava massaia per onorare il Natale. Aveva la pelle tesa, come quella di un tamburo, sicchè, malgrado tanta lussuria di muscoli e di polpe, pareva fosse stata fatta con economia. I suoi grandi occhioni bovini avean l'aria di voler saltar fuori a ballonzolare sul pavimento; e certo, senza quella tensione di epidermide che appariva ancor più evidentemente nelle palpebre, ti sarebbero schizzati in faccia.

I due cosi mi vennero incontro, la mamma lunga davanti, la ragazza grossa di dietro, inchinandosi goffamente e atteggiando la bocca a un sorriso tra la compiacenza e la fatuità.

— Se non erro, diss'io, prendendo il cappello onde potermela svignare, al più presto, ho l'onore di conoscere la signora del mio amico Bazzetta...

— Pur troppo! sospirò quella pertica alzando gli occhi al cielo. Dietro di lei si udì un sospirone.

— Diavolo! non potei a meno di esclamare, perchè mi dice « pur troppo ? »

— Oh! se sapesse!...

— Oh! se sapesse! disse l'altro coso di dietro.

— Non so nulla, diss'io.

— Lo saprà.

— Saprà, disse l'altra di dietro.

E quella davanti:

— Si accomodi, mostrandomi una seggiola.

Mi accomodai.

Allora la faccia della signora Bazzetta diventò terribile.

Aveva sposato quell'uomo come si sposano tutte le zitelle in ritardo. — Le avevano detto: ha *del ben di Dio*, ciò che in volgare, significa « *ha quattrini* » quanto a dimostrarle che era un bell'uomo, sarebbe stata pena sciupata. Bazzetta a trentacinque anni, era il più bel giovanotto che si potesse vedere nei paraggi di Zughano.

— Le dico, continuò la signora Placida (si chiamava con questo nome), le dico; pur troppo! e lo ripeto!

E l'eco echeggiava:

— Sicuro, certamente, sicuro!

La megera posò il suo formidabile naso fra i miei baffi incipienti, e sussurrò.

— Se sapesse!...

— Per tutti i santi del paradiso, diss'io, che cosa mi resta a sapere??

— Bazzetta è un birbone; mi fa tante corna quanti ho capelli in testa; è uno sfaccendato.

— ...ato, ripeteva la fanciulla.

— E vi ha contata la storia del medico e del signor sindaco a modo suo... — è un birbone! — Beve come una spugna! Oh! che uomo!

— ..... Omo!

— E — continuava la signora, — il piccolo Ignazio, l'abatino che pranzò ieri con voi, è figlio spurio del sindaco — e questo non ve lo ha detto, e sua madre era la sorella di Mansueta.... e il signor de Emma....

— Zitta! sclamò Ermenegilda, additando l'impennata della farmacia.

Bazzetta riapparve.

— Ho dimenticato l'astuccio dei zolfanelli.

E fulminò con uno sguardo tale la signora Placida e la signorina Ermenegilda.... che in men di un baleno scivolarono e scomparvero dietro l'uscio da cui erano uscite.

— Vi accompagno fino al presbiterio, disse Bazzetta offrendomi il braccio.

E ci incamminammo.

XIV.

Che bella sera, che tramonto fatto per i pittori e per i poeti!

Il paesaggio appariva e non appariva.

Le forme incerte somigliavano a nubi; nubi che cambiavano i profili e i colori ad ogni batter di ciglio.

Il presbiterio era immerso in una nebbia diafana, inargentata dalla luna.

Cantavano le cicale e cantavano i grilli. I prati erano costellati di lucciole, e Bazzetta zuffolava una canzone che era in gran voga a quei tempi.

Mi sentivo triste, una indicibile malinconia mi circondava come un abito bagnato.

Dissi al farmacista:

— Non incomodatevi più a lungo; il pranzo del sindaco vi aspetta, ci rivedremo stasera.

Non se lo fece dire due volte.

— A stasera, ripetè, dandomi cordialmente la mano; e svoltò per un viottolo.

Ma era stabilito dal destino che in questo giorno io non potessi starmene solo co' miei pensieri.

Inciampai in due bambini, accocolati sulla soglia del presbiterio.

— La signora Mansueta, mi disse il più alto dei due, o dorme o non ci vuole aprire. E il papà che ci ha detto di venire, e che è su dal signor curato?

— Suona un'altra volta, disse il più piccolo.

Suonai io, e Baccio fu tosto ad aprirmi quella memorabile porticina.

— Oh! bravi ragazzi, sclamò: siete aspettati. Su, su, Don Luigi vi vuol vedere.

E, mettendo un dito sulle labbra coll'aria di un cospiratore, mi sussurrò all'orecchio:

— Sono gli orfanelli della povera Gina; non sanno che la sia morta; ci penserà Don Luigi — intanto il pranzo è preparato.... Resti servito....

— Come sta il signor curato? Si può vederlo?

— S'immagini; le farà un regalo.

E il buon uomo mi condusse fino all'uscio della camera del curato.

— Non le faccia parola del sindaco, mi disse, e si accommiatò.

I due fanciulli ci avevano seguiti ed entrarono nella camera con me.

Il povero vedovo sedeva presso il capezzale dell'infermo, e pareva moribondo.

Vedendo i suoi figli, ebbe uno strano gesto; ma si contenne, a un cenno del curato che continuò il discorso interrotto, dopo avermi salutato.

La sua voce era debole, ma lo sguardo lampeggiava. Aveva in mano la bibbia e ne cadevano rose.

— Stammi attento, amico mio, mio buon Beppe. La tua sciagura è terribile, la capisco e l'ammiro. L'ammiro perchè quella tua povera Gina, morendo, ti ha fatto migliore. Guarda un po' quei due fanciulli, Beppe!... Sono la sua eredità; non beverai più l'aquavite quando scoccano le sei del mattino — (non farmi la brutta cera) — la bevevi, quotidianamente. Lavorerai dippiù; sentirai come sia dolce il vivere coi morti...

E piegò la bella persona verso i due fanciulli.

— Non ditele che è morta la loro mamma; la mia Mansueta ci penserà a prepararli....

Il buon Beppe mormorò:

— Grazie, signor curato.

Ma singhiozzava angosciosamente.

— Ho invitato al mio desco questo caro Beppe coi suoi due fanciulli; volete tener loro compagnia? Mi obblighereste. — Badate che si pranza in cucina.

— E sia! Vogliamo mettere il tovagliolo sulle ginocchia?

I due piccini avevano fame più di me e più di Beppe. Come furono contenti quando li ebbi adagiati davanti a una minestra.... una minestra fatta per bene!

XV.

Contenti e nel tempo stesso malinconici. Interrogavano tacitamente la immobile fisionomia del babbo.

E la fisionomia del babbo era lugubre.

Le parole di Don Luigi erano state inefficaci. Il povero uomo pensava alla sua povera donna.

— È sotto terra, mi sussurrò all'orecchio, sotto terra, tre metri sotto terra. Hanno un bel dire, ma adesso infracidisce nella sua cassa. Mi voleva tanto bene, e ce ne volevo tanto a lei!... Scusi, signor pittore... mi lasci piangere.

I due fanciulli mangiavano avidamente, ma mettevano sempre, fra un boccone e l'altro un punto di interrogazione.

La buona Mansueta se li condusse via coll'esca di due mele cotte nella cinigia.

Restammo soli, io, il vedovo e Baccio; soli e in un mestissimo silenzio non interrotto che dal crepito della lampada ad olio.

Ma Beppe si alzò di repente, e, piantatosi fra me e il campanaro, prese un atteggiamento che ci fece paura; un atteggiamento di rivolta e di sfida. Pareva Spartaco in abito di frustagno E con voce concitata, rauca, affannosa, cominciò:

— Voglio parlare! bisogna che parli! il mio segreto mi bruccia nella strozza! Mi ascolti pazientemente, signorino, e tu, Baccio, stammi a sentire anche tu.

Si asciugò il sudore, tornò a sedere, si nascose la testa nelle mani, e continuò:

— La mia Gina a quindici anni era la più bella ragazza del paese. e la più buona. Tu, Baccio. lo puoi dire e lo può dire Mansueta e Don Luigi e tutti lo possono dire. Le nostre *baite* erano vicine; mio padre e mia madre, suo padre e sua madre si davano del *tu* fin da quando erano fanciulli alti come quei due poveretti che sono usciti testè...

Qui s'interuppe, e disse a bassa voce, quasi parlando a sè stesso:

— Perchè li abbiamo messi al mondo, perchè?

E, ringolfandosi nelle memorie, continuava:

— Ella veniva ogni mattina a distendere il fieno sull'aia che separava le nostre case; e cantava una canzonetta... che era il mio spuntare del sole.

Ti ricordi, Baccio, che bel giorno fu quello delle mie nozze con Gina? Sono passati undici anni. Il mio testimonio era quel galantuomo del signor De Emma. Come scampanavi di gusto, buon Baccio!...

Ed ora è morta e infracidisce nella sua cassa!... E sapete chi me l'ha uccisa? Quel cane di sindaco che morirà per le mie mani come è vero che ci sono Gesù e la Madonna e l'Eterno e lo Spirito Santo in paradiso.

A queste parole guardai Baccio in viso; egli aveva la bocca chiusa ermeticamente, e gli occhi spalancati oltre ogni umana possibilità. Tremava dalla testa ai piedi.

Beppe dilaniava un tovagliolo con dita convulse, e, senza accorgersene lo inzuppava di grosse lagrime intermittenti.

— Dio di bontà, esclamò Baccio, dando un crollo a tutta la sua zoppicante persona, è venuta la fine del mondo?

— La verrà e presto; sentirai. Parecchi già avevano avvertito la mia Gina che quel birbone la guardava con certi occhi, che so io, in un modo che non

guardava le altre donne; ma la poveretta èra così
buona e così virtuosa che non le passava nemmeno
pel capo che al mondo ci fosse gente capace di fare
il male e tampoco di pensarlo. Egli intanto aveva
preso l'abitudine di venir molto di frequeute in casa
nostra, ora con un pretesto or coll'altro. io era
obbligato dalle mie facende a passar quasi l'intiera
giornata sulla montagna, e i miei vecchi erano ingenui come la Gina, e, poi via... erano vecchi. Alla
sera, senza motivo alcuno, gironzolava di su e di
giù davanti al nostro uscio.

Le cose andarono al punto che, un giorno, dopo
la cena, poi che i vecchi e i ragazzi furono andati
a dormire, la Gina, con una voce che non pareva
la sua. e cercando quasi di non incontrare il mio
sguardo. mi disse:

— Bebbe, ho bisogno di parlarti.

Me le sedetti vicino, presso il fuoco, ed ella, con
quella voce sempre più diversa del solito, mi bisbi-
gliò nell'orecchio. mettendomi un braccio intorno al
collo ·

— Ho paura del sindaco!

Io. che non mi ero accorto nè dubitava di nulla,

— Del sindaco, esclamai strabiliato; oh! che cosa
ti gira per il capo, stasera?

Allora ella mi narrò, come quel cane di un signor
Angelo Deboni la perseguitasse già da più di due
mesi, seguendola e arrestandola per le campagne e
pei boschi, trovandosi sempre sul suo passaggio, sor-
ridendole con un'aria bestiale, e dicendole delle cose...
delle cose di cui ella non capiva il significato, ma
che le parevano *cose cattive, cose contro il timor
di Dio.* E le diceva con voce dolce e rauca... e —
aggiunse quella mia sventurata celandosi la faccia

tra le mani — aveva tentato più volte di metterle
le mani addosso!...

Credo che fosse un urlo quello che mi uscì dal-
l'animo all'udir questa infamia; giacchè il mio
marmocchio più piccolo si destò strillando, e sentii
nell'altra camera il povero padre voltarsi sotto le
coltri e mandar un sospirone affannoso come è usanza
dei vecchi disturbati nel loro primo sonno.

Come il bimbo fu acquetato, presi pel braccio la
Gina e ce ne venimmo insieme qui dal signor curato.
Te ne ricordi, Baccio, fosti tu che venisti ad aprire,
tutto meravigliato.

— Santi del paradiso! sclamò il campanaro, spalancando gli occhi e alzando le braccia; era per
questo?!... Se me ne ricordo! ero appena tornato
dalla fontana e stavo per andarmene a letto...

— E narraste la cosa a Don Luigi, interruppi a
mia volta; e che vi consigliò Don Luigi?

Beppe si passò un'altra volta la mano sulla fronte.

— E che volete che mi consigliasse, mio buon
signore? Prima diventò pallido, pallido, poi mi disse
in tutta confidenza, guardandosi intorno come se
avesse paura che i muri e i quadri lo potessero dire,
mi disse che il Sindaco era un uomo capace di tutto;
che bisognava usar prudenza: che Gina non uscisse
mai dopo il cader del sole, che io facessi il possibile
per non lasciarla troppo sola... che so io, tante altre
cose mi disse. Ma in cielo era scritto ciò che era
scritto!

Tuttavia le parole del signor curato mi avevano
alquanto rassicurato, e rifacevo la strada verso casa
con animo assai più leggiero, quando la Gina affrettò
il passo stringendomi forte il braccio e quasi avvin-
ghiandosi a me, come se avesse veduto il lupo.

Fosse stato il lupo, fosse stato l'orso!... non mi avrebbe messo maggior spavento. Spavento, dico? no, rabbia, stupore, ribrezzo; giacchè era lui, l'infame uomo, che aveva spiato i nostri passi, che ne aveva certamente indovinato il motivo, e da quel momento, lo giurerei in punto di morte, stabilì di affrettare la rovina della povera Gina e la mia.

Ci seguì, a pochi passi di distanza, fino sull'uscio.

Mentre io stavo aprendo adagio adagio per non svegliar la famiglia, ci passò dinanzi, sempre alquanto lontano, e intonò zufolando l'aria di una canzone oscena, come per cimentarmi, che so io, per farmi perdere la testa del tutto.

Qual notte fu quella! Il sonno che a mia memoria non mi aveva mancato mai, tranne che nell'ultimo mese che precedette le mie nozze (ma quelle erano veglie che non darei ancora adesso per tutto l'oro del mondo) non voleva saperne ad ogni costo di venire a togliermi la febbre che mi ardeva. La povera tosa, che capiva il mio turbamento, benchè me ne stessi zitto, faceva mostra di dormire; ma io mi accorgeva che vegliava e che il suo cuore batteva come il mio. Essere angosciati, e allo scuro, e non poter muoversi, non so se l'abbiate provato anche voi, è una cosa a cui Dio non dovrebbe condannare una povera creatura. Come la disgrazia diventa più grossa, come il buio somiglia più buio e pieno di diavolerie e come sembra di aver sullo stomaco una pietra da mulino!...

Che cosa ho mai fatto, andavo arrovellandomi dentro di me, che cosa ho mai fatto di male per meritarmi questa tribulazione? Ho lavorato fin da piccino come una bestia da soma, non ho mai torto un capello a nessuno, non ho mai, mai mancato di rispetto ai

miei vecchi, ho voluto bene alla Gina, onestamente,
e l'ho sposata da onest'uomo; ho cercato di tirar su
il meglio possibile i figli che la Provvidenza mi ha
dato... perchè ci deve essere un cane?... E, senten-
domi serrarsi i pugni e affogarmi della voglia di be-
stemmiare, domandavo scusa al Signore e facevo
voto di starmene cheto ed anche..... anche di perdonare..... — ma..... perdonare..... purchè, purchè..... e
il pensiero che colui potesse toccar, fosse con un
dito anche, soltanto un lembo di una manica di Gina,
mi faceva ribollir il sangue daccapo! E le parole del
signor curato che poco prima pareva mi avessero un
po' sollevato, allora mi suonavano all'orecchio con
un effetto del tutto diverso. « È un uomo capace di
tutto! » Che tutto? Tremavo. e gelavo e bollivo. E
se Gina non mi avesse detto le cose che a metà?...
se.....

Infelicissimo uomo!... Nessun pennello, nessuna
penna avrebbe potuto ritrarre l'indefinibilmente profonda espressione di dolore e di rabbia, di abbatti-
mento e di energia che in quel momento appariva
in quella faccia smunta su cui le lagrime non scor-
revano più.

Io e Baccio attoniti, rattenendo il respiro, non
battendo ciglio, lo guardavamo immobili e atterrati
ugualmente; egli semi-idiota e vecchio montanaro,
ed io non montanaro, non semi-idiota e non vecchio,
affratellati da due sentimenti di pietà che nella bi-
lancia di Dio certo avrebbero pesato lo stesso.

E Beppe, alzatosi e camminando a lunghi passi
per la cucina, continuava:

— A questo dubbio che mi afferrò per il collo come
una tenaglia rovente, restar un minuto ancora immobile e allo scuro, sarebbe stato lo stesso che morire.

Balzai dal letto, accesi il lume, lo accostai a Gina e la fissai... chi sa come, in faccia.

Ella aveva gli occhi spalancati e a sua volta mi affissava, tentando di sorridere... ma piena di spavento.

Non mi perdonerò mai ciò che feci e dissi allora.

La presi per ambo le braccia e le diedi uno scrollo che la fece scivolare dal letto, e stringendole le mani come un forsennato, e quasi mordendole le labbra colle mie, urlai:

— Tu non mi hai detto tutto! Egli ti. ..

La sventurata si lasciò cadere in ginocchio, e liberate le mani ch'io, quasi fuor dei sensi, le abbandonai, le congiunse come si fa davanti all'altare.

— « Ti ho detto tutto, mi disse; lo giuro sulla testa di quei due poveri innocenti; tutto, tutto, tutto! » E diede in uno scoppio di pianto, mentre mi stringeva e mi baciava e ribaciava le ginocchia.

Piangemmo insieme abbracciati non so per quanto tempo; quando ripresi conoscenza di me stesso, la notte era ancora alta e la Gina stava rattizzando i carboni sul focolare.

Me le accostai mormorando:

— Perdonami.

— Taci, rispose Gina, questa volta sorridendo davvero. Ci vogliamo tanto bene. Ma vien qua, il mio uomo, e riscaldati che sei tutto intirizzito. Datti pace, va, che il diavolo non è brutto come si dipinge. Quel briccone sa che siamo andati da Don Luigi; ciò lo farà pensare due volte prima di.....

— No, no, la interruppi io; ho preso la mia decisione; sai che le poche terre che abbiamo mi sono state a parecchie riprese cercate da Gervasio, il ricco mandriano; le posso vendere domani; se voglio, e a

patti d'oro. Senti, Gina, le rondini abbandonano il
nido dove furono una volta minacciate; noi faremo
come le rondini; andremo altrove a fabbricarci un
nido nuovo; in questo non si potrebbe più vivere
in pace.

— Quello che tu farai, buon Beppe, sarà ben fatto;
benchè la sia dura il lasciar il paese dove si è nati.

— Il paese è dappertutto dove si può vivere si-
curi, lavorando. Andremo in un sito più bello di
questo.

Così conversando del nuovo progetto, stretti l'uno
all'altro, accanto al fuoco, fummo sorpresi dai primi
bagliori dell'alba.

Io era così ansioso di mettere modo alle cose per
mandare ad effetto il più presto il mio disegno, che,
fosse anche un presentimento, la terra mi abbruciava
i piedi. Sicchè senza aspettare che i vecchi si risve-
gliassero, per dar loro il buon giorno, siccome ero
solito fare fin dall'infanzia, presi il cappello e i miei
ferri e mi avviai verso i pascoli di Gervasio, dopo
aver raccomandato a Gina di non porre piede fuori
dell'uscio, promettendole poi che sarei stato di ritorno al più presto.

Non trovai Gervasio ai pascoli, che come ben sai
Baccio, distano da qui una buon'ora di cammino;
egli era partito quella notte stessa per la sua *casera*
di San Sulpizio; cinque leghe di strada, e che strada!
Titubai alquanto se dovessi raggiungerlo, o rimandar
la cosa al suo ritorno. Ma quando sarebbe tornato?
i pastori non ne sapevano niente; poteva fermarsi
alla *casera* un giorno, poteva fermarsi quindici. De-
cisi di spingermi fino a San Sulpizio. Mi fornii di due
bei tozzi di cacio e di polenta, e via pei greppi e

le pinete, certo che camminando a dovere avrei potuto essere di ritorno a casa per il cadere del giorno.

Ma, — ve l'ho già detto prima: — Era scritto ciò che era scritto!

Ti ricordi, Baccio mio, quella crocetta che sta a due passi dalla *colma dei Tre Ladri?* Fu là che mi prese l'uragano. Un uragano come, in vita mia, non ne avevo mai visto. To'! il cielo pareva disceso sulla terra, e i cocuzzoli delle montagne pareva che si arrampicassero in cielo. Si cozzavano insieme i ghiacciuoli delle nubi e i ciottoli delle frane; la vallata era scomparsa, le cime non le vedevo più; mi pareva di sentirmi schiaffeggiare e bastonare da centomila demoni!.. — mi mancava il respiro... — ero come una pulce fra due unghie... to'.

Mi girava la testa, ma, questa volta, diversamente di prima, vo' dire di quando la mi girava nel mio letto, allo scuro. Mi sentivo mancar il fiato: era la *tormenta!* E turbinava, oh! come turbinava! Mi credetti morto, e lo ero quasi, e mi distesi in terra, colle mani in croce, dicendo il *De profundis* e pensando intanto alla mia Gina, ai miei vecchi, ai miei piccini... e al... e anche al Sindaco!

Restai lì parecchi minuti in tal modo, aspettando l'ultimo momento.

D'improvviso mi sentii battere sulle spalle da una mano vigorosa.

Apro gli occhi già quasi irrigiditi dal gelo, e mi vedo davanti, indovina?... il figlio maggiore del signor De Emma, che, superata la bufera passava appunto di lì, colla sua muta, inseguendo il camoscio.

Mi sollevò, mi pose alle labbra la fiaschetta del rhum, e in men che non si dica, mi ritrovai il Beppe di prima, vispo e sano di corpo e pronto a far non

cinque ma venti leghe... quanto al resto... Il resto
era di ritornare a casa, e al più presto possibile.

— Grazie, dissi al bel giovanotto; ella è proprio
il figlio di suo padre, il figlio della Provvidenza! Oh!
fa tardi, se si ritornasse laggiù? Mi aspettano, sa?
e se ella vuol far *tappa* nel tugurio della mia Gina,
— è un'amica del di lei babbo, la dev'essere una
festa davvero!

Il signor Arturo, — Baccio tu lo conosci, — aggradì
l'offerta.

Ci incamminammo, aggrappandoci alla meglio per
gli scogli irti di sterpi. Ma la via del ritorno par
sempre buona. Almeno sembrava tale allora per me.

Beppe parlava come un oratore che non sa, o
meglio non vuol venire alla perorazione.

Bevette un bicchier di vino offertogli da Baccio
e, asciugatasi di nuovo quella fronte piena di passato e di avvenire, continuò ma con una inflessione
di voce e con un atteggiamento che accennavano alla
catastrofe:

— Sissignori. E rividi, che non mi parea vero, la
cima del *mio* campanile, e poi i fumaioli dei vicini,
e finalmente infilai il viottolo che mena alla mia
casa.

Per quanto fosse stata posta la strada fra le gambe,
la notte ci aveva precorsi.

A cinquanta passi dalla mia ortaglia chi mi vedo
venir incontro?

È mio padre, il mio padre ottuagenario, che non
aveva fatto, a mia memoria, più che non faccia di
cammino un bimbo appena uscito di fascie.

E mi dice, spalancando le braccia:

— Se Dio vuole! Sei qui! Che spavento? E la tua
Gina?

— Che! risponde, la Gina?

— Dov'è?

— Se non lo sai tu!!

— Ma come ?

— Non l'hai tu mandata a chiamare perchè ti raggiungesse al *campo della Crocella ?*

— Io?

— Venne un ragazzotto a dirle che ti raggiungesse colà!... per una cosa d'urgenza...

— Io vengo... vengo... da tutt'altro sito... non ho mandato nessuno...!...

— Che birbonata è questa? sclamò il povero vecchio guardando in faccia a tutti quanti.

— Una birbonata, urlai, e, senza aggiungere una sola parola, mi slanciai a tutta corsa verso il *campo della Crocella.*

Non mi ricordavo più della strada; non so in quante siepi mi insanguinai le dita in quante pozzanghere mi ingolfai. Udivo da lontano i gemiti che uscivano dalla mia casa.

Ma un gemito più vicino, più straziante, un gemito simile a quello di chi sta per morire, mi arrestò di repente, come se avessi dato del capo in un muro.

Oh ! quel gemito !.... mi ricordava quelli della notte scorsa ! Era lei, era Gina! La trovai, la rinvenni, non so come, nelle tenebre, tra gli sterpi, distesa per terra....

— Gina!

— Lasciatemi morire !

— Sono io, sono Beppe! il tuo Beppe !

. . . .

Mi parve che udendo il mio nome, si addormentasse.

La presi sulle spalle e lento lento, mentre il cuore e la testa non sapeva più dove fossero, raggiunsi, la mercè di Dio, la mia soglia.

La adagiai sul letto, livido, estenuata.

Il vicinato era accorso.

Il signor Arturo era scomparso. Poverino, si prese in corpo sei leghe, e a quell'ora, per andare in cerca di suo padre.

Allontanai tutti quanti.

Gina, dopo un lungo sopore, aperse gli occhi e mi vide.

Rabbrividii a quello sguardo. Ella rabbrividi più di me. E con una voce che sembrava venire da sotterra :

— Non guardarmi, sospirò, non toccarmi! Chiudi la porta ! . È là... il sindaco !... .. è là... porta in quel bel paese, in quel paese più bello, i nostri bambini ! .. Portali via. senza farmeli vedere !... oh! povera, povera me!

— Gina, dicevo io, Gina . dimmi, spiegati

— Taci... taci.... e si metteva un dito sulla bocca e alzava gli occhi al cielo. — Taci. Ho resistito, oh! se gli ho graffiato la faccia....

Ella cacciò allora la testa sotto il guanciale, ed io restai solo col lucignolo agonizzante....

XVII.

Una scampanellata che venia dalla camera di Don Luigi interruppe il racconto terribile del povero vedovo.

— Dio mio, sclamò, come destandosi a sua volta da un sogno, ho parlato troppo forte, l'ho risvegliato.

Baccio. che in meno d'un baleno era salito e ridi-
sceso, mi appoggiò la bocca all'orecchio e mi disse:

— Don Luigi ha bisogno di voi..

Scoccavano appunto le undici ore.

Salii d'un balzo.

Certo le pareti del presbiterio non somigliavano
alle mura massiccie e pendenti dei nostri bisavoli;
giacchè dal viso alquanto sconvolto del curato e dalle
pieghe sconnesse delle sue coltri m'accorsi, — e non
presi un granchio, — che dal suo primo piano, egli
aveva udito in parte se non in tutto la conversazione della cucina.

Don Luigi mi stese la mano e mi disse:

— Voi che mi parlavate di Tebaide, e mi dicevate
— oh! le ricordo le vostre parole, — Tebaide, dove
son vive ancora le memorie bibliche, e gli uomini
santi le respirano ancora, e le ripetono con sapienza
antica... — Vedetela la Tebaide, vedetela la sapienza!
Ditemi come è vero che le apparenze ingannano!
Credevate di arrestare il vostro passo di nomade in
un eremo e siete entrato in una bolgia.... Non importa! Le vie della Provvidenza sono infinite. Forse
è Lei che vi ha inviato. Ciò che sapeste per l'ango-
sciosa espansione di quel povero Beppe, è il primo
filo di tutta una lugubre istoria che oramai sarebbe
impossibile tenervi nascosta. Ma di ciò a suo tempo.
Ora siete mio ospite, e sapete ciò che vi dissi ieri
in giardino. Temete le barricate; ciò che in volgare
significa: non partirete senza il mio permesso. Ora
si tratta di non lasciare solo quell'infelice. Egli ha
nell'anima la vendetta; giacchè, voi lo indovinate
senza che io ve lo dica... Quella povera Gina!...

Egli s'interruppe con un gesto d'orrore che mi si
apprese al cuore.

8

— E quell'uomo vive ancora? sclamai coll'impeto dei miei vent'anni.

— Sì, e deve vivere, e saprete il perchè deve vivere, — a meno che non scavalchiate le mie barricate. Ma per ora, si tratta d'altro; ho bisogno di un servizio da voi Non potrei riposare se sapessi Beppe libero di sè stesso questa notte.

Il curato, così parlando, aveva dato un nuovo scrollo al cordone del campanello.

Baccio comparve.

— Non lascierai partire Bebbe stasera. Preparagli la camera degli scalpellini; ai marmocchi ci pensi Mansueta Questo signore ti aiuterà a persuaderlo.

Baccio, colla intuizione dei montanari, capì, approvò. inchinossi ed uscì, facendomi un cenno di supplica.

— Per domani. aggiunse il curato, ci penserà un altro amico.

Gli diedi la buona notte e ridiscesi in cucina

Non ci fu d'uopo di molta fatica per persuadere lo sciagurato Beppe ad accogliere l'ospitalità del presbiterio. Come vide i suoi bambini andarsene a coricare sotto le ali tarpate della Mansueta, egli si lasciò condurre come un agnello. da Baccio, alla stanza degli scalpellini.

La foga con cui aveva narrata la sua tragedia lo aveva estenuato.

Dissi a Baccio che ritornava dall'averlo coricato:

— Eh! dimmi! che cosa significano quei lumi laggiù, verso la casa del sindaco?

Baccio uscì nell'orto e dopo un istante ricomparve sogghignando e mi disse, facendomi lume su per la scaletta:

— Sono i coloni del signor Deboni che portano a casa Bazzetta, ubbriaco fradicio.

E con questo bel corollario di quella bella giornata, mi diede la buona notte.

XVII.

Dopo agitatissimi sogni, fui risvegliato dal signor De Emma, o, — per essere più veritiero, — dai ferri aguzzi del suo ronzino, i quali, così. tra la veglia e il sonno, mi somigliarono ai colpi di un martello che mi battesse sulla nuca.

I galli, sparsi qua e là nelle soffitte e nelle cantine, eruttavano il loro rantolo singhiozzoso: i passeri cominciavano a pispigliare; si udiva il risveglio della luce nel fruscio sommesso delle foglie. In lontananza, le imposte, aperte da braccia ancora intorpidite dal sonno, sbattevano contro le pareti, quasi paurosamente.

Il giardino apriva anch'esso le sue mille palpebre d'ogni colore. I fiorelli che si schiudono all'apparire del sole, cominciavano a sorridere, e i loro petali si intravedevano fra le corolle, come ansiosi di osservare all'intorno che cosa fosse accaduto durante la loro prigionia.

Tutti i sudditi dell'entomologia, dal paria al sultano alzavano la testa e si sentivano a rivivere, e le farfalle spalancavano l'ali per abbandonarsi alla caccia avventurosa degli effluvii e dei raggi. Le lumache appese alle scabrosità dei muri, esponevano i loro quattro tentoni filiformi, occheggiando. Le lucertole, svegliate dai primi tepori del sole, facean ballonzolare la coda fra l'una e l'altra fessura. I mosconi

ronzavano, i ragni cominciavano a guatare le ra-
gnatele e i moscerini cominciavano ad ingarbugliar-
visi....

Dalla cucina del presbiterio usciva un odore delizioso di caffè tostato.

Il cielo splendeva serenissimo

— Buon dì, mi disse scavalcando, il dottore, già
desto così per tempo?

La voce del signor De Emma aveva una vibrazione
dolce di cui il giorno prima non la avrei creduta
suscettibile.

È certo che il buon curato gli aveva parlato sul
conto mio a quattr'occhi con quella strana benevolenza, non so come meritata da me fino a quel punto,
che in lui pareva una divinazione di ciò che doveva
accadere in seguito nei nostri cuori.

Il dottore era salito alla camera del suo infermo.
Io scontrai sotto un viale del giardino il povero
Beppe. Egli andava davanti a me coll'indescrivibile
incesso che hanno i sonnambuli, rimondando, sbadato, quasi senza saperlo, — per abitudine di campagnuolo forse, i vigneti delle giovani viti, con gesti
da automa. Stropicciava ad una ad una le raffila-
ture che gli restavano in mano, poi le lasciava cadere dietro di sè. Portava la testa immota, alquanto
volta all'insù, ma quando l'ebbi accostato, senza che
egli se ne avvedesse, rimarcai che gli occhi avea
rivolti al suolo, semichiusi, immobili. Tutto il suo
volto spirava il terrore e la pietà insieme che i
poeti ci fanno supporre spirassero dalle maschere
formidabili dell'antica tragedia. La desolazione e la
sete della vendetta avevano tramutato in una notte
quella faccia idillica di contadino, in una faccia di
non so qual lugubre eroe. Giacchè le notti che se-

guono le sventure. sono le grandi trasmutatrici. Ogni
loro minuto è un colpo di scalpello michelangiolesco.
Il marmo candido, innocente, insciente s'atteggia in
poco volgere d'ore a sovrumano furore di demone,
la carne atteggiata alla espressione della pace, della
mestizia, della mansuetudine, si è fatta brutale,
freme, sogghigna, sembra volersi concentrare in un
morso.

Tale almeno la faccia di Beppe.

Essa mi colmava di tanto stupore che non sapevo
decidermi a rivolgergli la parola; e, poichè egli non
aveva l'aria di accorgersi della mia presenza, continuai a camminare al suo fianco, pareggiando i miei
ai suoi lentissimi passi.

A un tratto al dissopra di noi, dalla finestra della
camera di don Luigi si fè udire la bella voce del
medico

— Signori, diceva, l'ammalato non più ammalato.
desidera la loro presenza, e prega il signor pittore
a voler passare in cucina ad avvisar Monna Mansueta che si prenderà quassù il caffè in compagnia.

Queste parole furono dette con un umorismo misto
di serietà che mi piacque immensamente

— Si viene, risposi, ed a Beppe

— Saliamo.

Egli mi guardò, si toccò la falda del cappello e mi
seguì.

Quando entrai con Beppe nella camera del curato,
lo trovai diffatti intieramente riavuto.

Sorrise a me, stese la mano a Beppe e, tirandolo
a sè, gli disse

— Dunque senti figliuolo. abbiamo, il dottore e io,
abbiamo concertato qualcosa per te. Tu non puoi
rimaner qui: hai bisogno di far vita nuova. Il dot-

tore t'ha trovato un posto di guardiano presso alcuni suoi ricchi parenti nel bresciano. Tu lascierai qui i bimbi, Mansueta n'avrà cura finchè non sii in grado di prenderli teco. Tu seguirai il dottore a Zugliano e domani ti condurrà egli stesso alla tua nuova dimora. Va bene così?

Il poveretto teneva il capo basso, perplesso fra la reverenza e un gran desiderio di dire di no.

Finalmente balbettò fra i denti:

— Perdoni, ora non posso partire.... ancora qualche giorno per sbrigar certe faccende....

— Dimmi il tuo bisogno. — farò io per te ogni cosa..

Beppe fatto più ardito scoteva il capo.

— Non hai più confidenza nel tuo vecchio amico... di' su cosa hai da far qui.... di' su, — e gli figgeva con inquietudine i suoi grand'occhi in viso.

Il mandriano stornava smarrito i suoi in cui balenavano lampi sinistri di ferocia.

Il curato si turbò e, con voce tremante dallo sgomento. tendendo l'indice verso Beppe.

— Ragazzo, tu pensi a colui.... soggiunse severamente.

Beppe non potè più contenersi: lo vinse un terribil parossismo: si buttò a terra, si contorceva, si mordeva i pugni e con rantolo straziante:

— Me lo levino dal sole.. lo nascondano... lo mettano in un carcere profondo.... ci sono i tribunali per questo.... non lo lascino a mia portata....

Egli parlava dell'assassino della povera Gina.

Io non ressi a questo spettacolo straziante; le sue istanze mi parvero giuste e dissi:

— Egli ha ragione; perchè non consegneremmo quello scellerato alla punizione della legge? Il suo delitto è abbastanza accertato.... Io stesso andrò a far la denunzia.

— No, sclamò il curato.

Poi diventò smorto come un cencio lavato.

Il medico mi avvertì con un'occhiata supplichevole di non insistere Beppe era ricaduto nel suo cupo sbalordimento. Tuttedue gli furono intorno a confortarlo e a persuaderlo. Egli era tanto avvilito e tanto abbattuto che non durarono fatica a indurlo a scendere dopo il desinare col dottore a Zugliano.

L'infelice baciò le sue creature senza far parola, senza spargere una lagrima e s'avviò barcollando come trasognato dietro alla mula del dottore.

Lo accompagnammo sino in fondo al villaggio; poi il curato tornò indietro; io continuai la mia passeggiata.

XVIII.

Tuttociò che aveva visto e inteso in quei due giorni mi sconvolgeva la testa : sentivo un vivo desiderio di raccoglimento, di riflessione. Cosa singolare! in quella solitudine dove la vita mi pareva dovesse scorrere tranquilla come un idillio, monotona come il ciangottare di un ruscello avevo trovato invece il romanzo *feuilleton*, il dramma Porte-Saint Martin, il teatro Fossati; quel dramma e quel romanzo che ora è caduto di moda ma che la vita si ostina a risuscitare ogni giorno a dispetto del buon gusto e della letteratura *collet-montant*.

Scendevo così lentamente lungo le rive dello Strona, che mi affretto a presentarvi (cosa che avrei dovuto

far prima), come il torrente più realista ed indocile
alla moralità idrografica ch'io mi conosca. Figuratevi che egli non vuol saperne neppure per un minuto di quella linea retta, di quella misura costante
che la convenienza dovrebbe insegnare anche ai torrenti per trasformarli, se Dio vuole, in quieti riga-
gnoli, in pingui ed onesti canali. Dimentico dei suoi
doveri, del grande scopo della creazione che è quello
di impinguare le tasche del negoziante di grano e
di bestiame, sta asciutto la maggior parte dell'anno,
poi, ad un tratto, quando il ghiribizzo gli salta,
devasta pascoli e distrugge vigneti, cosa contraria
all'economia politica, abbatte *baite* e casolari, atten-
tato iniquo, come ognun vede, all'ordine a alla sacra
prosperità della famiglia.

E il monello fa l'arte per l'arte; scende a balzel-
loni, rotolando massi dalla vetta di Cornalina, gitta
sprazzi al sole per trarne delle iridi cangianti. Si
butta nei precipizii, si nasconde fra i cespugli, scompare nelle buche del monte, poi salta fuori a spro-
posito per tagliare il sentiero montanino, — e s'a-
dagia fra l'erbe, e folleggia e spumeggia e si inebbria
di libertà e di licenza — con una sicurezza come
facesse la cosa più seria del mondo. Così non è buono
a nulla, nè a far girare una ruota di mulino nè ad
irrigare un pascolo, nulla!.. malgrado tutti i tenta-
tivi fatti dai buoni padri coscritti di Zugliano e di
Sulzena e persino dall'illustrissimo Consiglio provinciale di Novara per correggerlo e trarne qualche costrutto. Tanta è la sua impertinenza, che se poteste
intenderlo, vi direbbe che Dio l'ha fatto a quel modo
e che vuol tirar innanzi in quella bizzarra sua maniera, — tutte cose che dicono gli scapestrati

Dopo tutto gli originali come lui divertono i fannulloni come me, ed io ebbi, finchè rimasi al Presbiterio, cara la sua compagnia come quella di carissimo amico. Lo seguivo volontieri per qualche centinaio di passi giù per la china, felice di non essere menato ad uno scopo, felice dell'indugio perchè piacevole.

Quel dì scesi più in giù fino alla cascata. Quei di Sulzena chiamano così impropriamente una specie di rapida che termina in una cateratta dove lo Strona si perde per ricomparire due miglia più in là nella valle, tra il *Passo degli Stambecchi* e il cimitero di Zugliano. Il baratro è profondo oltre a cento piedi; vi si scende per uno scheggiato a zig-zag fino allo stretto bacino in cui l'acqua, dopo essere venuta giù sopra un letto inclinato di ciottoli, fa un gorgo e inabissa. Le pareti della rupe scavate dal torrente. simulano l'aspetto di tortuose gallerie. di stallatiti grossolane, e si appressano in alto sino quasi a toccarsi in un immenso sesto acuto, anzi acutissimo. tagliato nel mezzo da una fessura, da un cordone o bianco lucente o turchiniccio, secondo l'ora: — il cielo. Piove di là una luce tranquilla e soavissima, la cui monotonia è corretta dai riflessi tremolanti dall'acqua. Scendono dall'alto, lontani come echi dello spazio infinito, i suoni radi della vita montagnola, qualche schioppettata di cacciatore, lo slamar d'una frana. il battito dell'ali di qualche avoltoio, lo strido del falco Altri suoni più cupi e misteriosi. a intermittenze meno frequenti, escono da un crepaccio di fronte, e narrano a voce sommessa l'odissea del torrente nei fondi recessi del monte.

Il lettore deve a quest'ora essersene accorto, — se strada facendo, mi si para davanti un ginepraio ine-

stricabile, un pertugio misterioso, un sentiero che
non meni a nulla, bisogna che mi ci cacci dentro.

Però mi lasciai andare giù per lo scheggiato in
fondo allo speco dalla cascata.

L'acqua lascia in disparte alcune tese di terreno
coperto di muschio fitto e finissimo.

Appena l'occhio si fu avvezzo a quella penombra
mi accorsi che non ero solo.

Un giovine chierico seduto in terra col dosso appoggiato ad un masso dormiva.

Era l'abatino da me veduto il giorno prima, il
nipote di Mansueta, quello che la moglie dello speziale aveva ricordato.

Me gli appressai da tergo senza far rumore: teneva
un libro sulle ginocchia

Mi chinai, lo presi: erano le *Confessioni* di Rousseau: aperte al punto in cui... insomma a quel tal
punto... la pagina gualcita mostrava d'essere stata
letta più volte.

Il viso del giovinetto, arrovesciato fra due sporgenze del masso sorrideva nel sonno come d'una
deliziosa visione, la fronte pallidetta gocciolava di
sudore.

Volli riporre il libro, ma questa volta, egli si
destò. Si rizzò confuso e arrossì come una fanciulla.

— Vi diverte? gli chiesi indicando maliziosamente
il libro che egli si sforzava di nascondere nella tasca.

Chinò la testa; divampò addirittura.

— Sembra, soggiunsi io nello stesso tono, che
quella di fare il prete non sia in voi la vocazione
più spiegata.

— Evvia, ripresi poi, mosso a compassione del
suo turbamento, vi fo paura? Non abbiamo forse la

stessa età? potete bene aver confidenza in me come s'usa fra amici... non volete che lo siamo amici?...

Rassicurato mi diè un'occhiata di viva riconoscenza.

Io continuai:

— Guardate, per darvi esempio di schiettezza, vi confesso, che a torto od a ragione, mi rincresce vedervi avviato a far sagrifizio di tutta la vostra vita... dicono che la vita è tanto ricca di brave e di belle battaglie, perchè ritrarsi? è meglio battersi.

Il poverino crollò tristamente il capo:

— È il signor Angelo che lo vuole .

Il solo pronunziare quel nome lo faceva rabbrividire.

— Appena acconsentì a incaricarsi di mantenermi egli mostrò la maggior impazienza di liberarsi di me e volle ch'entrassi in seminario.

— Voi non siete stato allevato in casa del sindaco?

— No fino a dieci anni io rimasi colla zia Mansueta al presbiterio. Così vi fossi rimasto sempre. Dacchè ne sono uscito io non so immaginarmi paradiso diverso dalla mia felicità in quegli anni beati della mia infanzia, tanto dissimili da quelli che li seguirono. Quando lessi nel Klopstock i lamenti di Abbadona, l'angelo esiliato dal cielo, piansi colle sue parole la mia sciagura, e mi trovai più disgraziato di lui perchè io sono punito di colpa.. che non ho commesso. Il curato mi voleva tanto bene... poi parve sempre amoroso, rispettabile... l'opposto di quell'altro.....

— Perchè dunque vi ha abbandonato nelle mani di uno che non ha nessun affetto per voi?...

— Oh non è stato lui, ne sono sicuro... quel giorno che io lasciai la mia queta stanzuccia del Presbiterio, egli mi prese in disparte mi abbracciò stretto e pian-

gendo mi disse. — Povera creatura, mi ti vogliono
levare e mi strappano il cuore. io ti terrei tanto
volentieri. — Poi si fe' promettere ch'io sarei venuto
spesso a trovarlo e che in ogni mio bisogno avrei
ricorso a lui. E diffatti tutte le volte che ha potuto
in qualche modo aiutarmi egli l'ha fatto ed io gli
devo tutte le poche gioie che m'ebbi in questi otto
anni di purgatorio.

— Ma colui là, il sindaco, vi reclamava forse?

— Non so... se l'ha fatto non è stato certo per
tenerezza.. e, ne son sicuro, nemmanco di sua
volontà. Ricordo perfettamente tutte le circostanze
che precedettero e accompagnarono la mia disgrazia:
c'è di mezzo un mistero che non ho mai potuto penetrare. Otto anni sono, in aprile. il Vescovo venne
a Sulzena ad impartir la cresima e si intrattenne
due giorni al Presbiterio. Lo accompagnava un canonico, parente del signor Bazzetta: andò ad alloggiare da costui e la sera stessa dell'arrivo lo condusse
qui a parlare con Monsignore. Veggo ancora lo speziale vestito in abito di cerimonia farsi strada in
mezzo alla gente che ingombrava la soglia ed entrare
tutto superbo del singolare favore. Non so perchè
ho sempre sospettato che quel ciarlone sia l'autore
dei miei mali. Il mattino seguente di buon'ora fui
svegliato da un discorso animato che si teneva sotto
il mio bugigattolo, nella stanza del Vescovo, quella
stessa che adesso voi occupate. Monsignore faceva ad
intervalli non so quali domande, brevi, come quelle
di un confessore o di un esaminatore; il curato rispondeva sommesso, — non sentivo che il mormorio
confuso delle sue parole, — seguivano delle lunghe
pause. Ad un tratto il curato proruppe con maggior
vivacità. — « ma io feci a fin di bene » e la voce

del Monsignore incalzava tosto più severa, più diffusa e accentuata, persisteva su certe parole che venivano sino al mio orecchio: decoro... convenienza ..
riguardo. Poi tacquero entrambi; io sentivo dallo
scricchiolar degli scarpini nuovi sul pavimento di
legno che Monsignore passeggiava Dopo mezz'ora
il colloquio ricominciò: e vi si era aggiunto una
voce. quella cupa del signor Angelo. Egli pareva
preso da una gran collera, che frenava a stento e
che irrompeva in esclamazioni e in interiezioni. Il
Vescovo lo riprendeva vigorosamente ogni volta, e
continuava a parlare in tono di rimprovero. Mi ricordo d'aver inteso il signor Angelo a strillare: —
le prove, le prove, — e Monsignore rispondergli con
recisa fermezza· — le prove ci sono, le abbiamo.

In quella Mansueta venne a prendermi; mi vestì
in furia e mi condusse abbasso la buona zia mi
parve più amorosa del solito: era inquieta — ed
anch'io lo ero. Il colloquio durò quasi due ore: finalmente il signor Angelo discese, quel suo viso sini-
stro che ci faceva scappare noi bambini, era sconvolto dal furore. Io mi trovavo sulla soglia e non
fui in tempo a cansarlo: egli mi diè un gran calcio
che mi mandò ruzzoloni sui ciottoli della strada. Fu
quello il suo primo atto di autorità a mio riguardo.
— Voi sapete che non è stato l'ultimo di tal genere...

Povero ragazzo, mi faceva compassione. Era tanto
avvilito che non poteva neppure nutrire rancore
contro il proprio aguzzino.

Egli continuò:

— Qualche giorno dopo, la zia cominciò a parlarmi
di andare col signor Deboni. Aggiunse per ispiega-
zione che egli era parente del padre mio e che egli
voleva così e ch'io dovevo obbedire. Figuratevi il

mio spavento; gridai, piansi, — la zia cercò di tranquillarmi dicendo che il signor Deboni, se ero saggio, mi avrebbe trattato bene, che mi avrebbe portato amore... ma finiva sempre col piangere desolatamente; non credeva nemmanco lei a quelle sue parole. Un giorno fui condotto dal cavallante nel seminario di Novara. Quando. sopraggiunto l'autunno tornai a Sulzena, entrai per la prima volta in casa del signor Angelo; egli mi trattò sempre come un cane malvisto Le mie vacanze sono una tal tortura che io anelo sempre al collegio come ad una liberazione

Dopo una pausa conchiuse:

— Ecco tutto quel che conosco della mia storia, nessuno mi ha mai detto qual sia il diritto che vanta sulla mia persona il sindaco — e che egli esercita con tanta malavoglia come fosse il più odioso dei doveri.

— Ma voi. — dissi io, senza riflettere, spinto dalla curiosità. ma voi che ne pensate?

La domanda era indiscreta e me ne accorsi subito e studiavo il modo di ritirarla...... Ma, con mio stupore, il giovinetto non se ne adontò punto; — mi guardò con amichevole timidezza come volesse farmi una confidenza e rispose misteriosamente.

— Ho paura che la mia parentela con colui..... sia assai più stretta di quel che volesse farmi credere la zia. Questo sospetto è il mio tormento, la mia disperazione. Nei suoi frequenti accessi di collera il Sindaco mi da i nomi più oltraggiosi mi chiama... mi chiama... voi capite: — urla che sono la vergogna della sua casa, — ed io domando bestemmiando perchè Dio congiunga coloro che non possono volersi bene.....   .

Un lampo di odio sfolgorò nelle sue pupille e tosto
si spense nella triste rassegnazione di prima, le sue
parole terminarono in un angoscioso singhiozzo. Come
il flotto del torrente mi parve lugubre in quel punto!

— Usciamo fuori, dissi io, e quando fummo all'a-
perto, e che l'aspetto sereno del cielo, la vista dei
monti rivestiti dal raggio di un roseo tramonto ebbe
dissipata un po' la mia commozione, presi il mio
compagno a braccetto e, sforzandomi di dare una
gaia intonazione alla mia voce, gli dissi:

— Ringrazio il caso che mi ha condotto a pescare
un amico in fondo alla cascata

— Forse non è il caso.. soggiunse l'abatino.

— Può darsi non sia il caso.

— È la prima volta che mi accade di parlare di
queste cose con alcuno e mi ha fatto bene

Questa dichiarazione non mi meravigliò punto.
Egli non era il primo a farmela e non fu l'ultimo:
ebbi molte volte a ricevere confidenze da gente che
mi vedevano per la prima volta. Io sono stato così
il depositario di molti dolori. È una triste preroga-
tiva: ho dovuto persuadermi per esperienza mia e
per l'esempio di quelli che la dividono con me che
non è segno di fortuna· è una attrattiva che una
sciagura esercita su altre sciagure.

In tutti i casi consimili non è mai stato mio vezzo
di far del sentimentalismo: ho veduto che i dolori
sono come i ragazzi viziati: più li accarezzi e più
si fanno impertinenti Io preferisco strapazzarli: è
una cura quasi sempre efficacissima.

Però rivolto all'abatino dissi:

— Badate però ch'io voglio sgridarvi; alla nostra
età la rassegnazione è, scusate la parola, dappocaggine. La vostra condizione vi par un mantello troppo

pesante? ebbene gettatelo dietro le spalle. Il mondo ha tante strade. sceglietene una, e tirate innanzi senza voltarvi indietro

Mi guardò stupito· nessun pensiero di ribellione aveva mai attraversato quel suo animo umile e mansueto. Si strinse a me rabbrividendo.

Superbo di farla da Mentore o meglio da Mefistofele. io ripresi:

— Il signor Angelo vi tratta come un cane, mostrategli che siete un uomo col respingere i suoi oltraggiosi benefici: lasciate la sua casa, buttate il suo pane e fate da voi. — scommetto ch'egli non vi correrà dietro a tarvelo accettare per forza.

— Guardate. dissi poi, accennando al libro di Rousseau che faceva sempre capolino dalla sua tasca, voi avete lì un bell'esempio. Non vi fermate alle sue melanconie, ai suoi piagnistei: guardate al sodo della sua vita: tutte le volte che Gian Giacomo ha voluto cercare il successo. il successo gli è venuto incontro: colpa sua se sovente egli l'ha rinnegato per rinchiudersi daccapo nella chiocciola della sua pigrizia.

Eravamo così arrivati a Sulzena. Fin là l'abatino aveva camminato al mio fianco dritto e spedito. Ma all'ultimo svolto del sentiero. quando apparvero le case del villaggio e più eminente da una parte del paese. solitaria, più vasta ma non più appariscente dall'altre, quella del signor Deboni. — non potè contenersi. Tolse il suo braccio di sotto al mio e fe' capire colla sua inquietudine che non voleva essere visto in mia compagnia. Non insistei e lasciai che prendesse un viottolo di traverso che girava dietro alle case.

— Ci rivedremo. caro... come ti chiami? gli domandai.

— Il sindaco mi fa chiamare Ignazio, per un suo fine di ironia, ma il mio nome è Aminta.

— Curioso nome!... vuoi ch'io venga a prenderti qualche volta?

— No, fu lesto a rispondere, verrò io.

E così ci separammo amici, di quella vecchia e durevole amicizia che a dieciott'anni si fa in un'ora.

XIX.

Quando rientrai cominciava ad imbrunire.

Il curato stava seduto nell'orto, appoggiato al muricciolo, guardava verso la valle. Pensai ch'egli fosse assorto in gravi riflessioni; non ardii frastornarlo.

Ma dopo qualche tempo si volse e mi vide. Pareva calmo; con un cenno del capo m'invitò a venirgli d'accanto. Poi indicandomi le prime stelle che spuntavano in fondo al firmamento, — come continuasse un discorso cominciato disse:

— Credo che quei raggi sieno un linguaggio; altrettante voci di un colloquio immenso attraverso l'infinito, segnali perenni che trasmettono dall'un capo all'altro dello spazio la parola di Dio.

— Come i falò che dovevano ad Argo annunziare il ritorno di Agamenone, — dissi, e tosto arrossii della profana allusione.

Il curato tacque e forse non intese.

Tutt'intorno un silenzio profondo. Nella cucina Mansueta attendeva alle tranquille faccende della cena e faceva ripetere le orazioni ai bimbi di Beppe: le loro vocine mimmose, assonnate smozzicavano le frasi della preghiera. V'era in questa umile scena

9

qualcosa di più augusto che non fossero tutti i miei ricordi letterarii. Eppure quei ricordi mi preoccupavano con delle analogie singolari Come la vedetta argiva attendeva il re dei re per denunziarlo al pugnale dell'adultera moghera, mille astronomi dall'alto delle loro specole, indagano Iddio per tradirlo alle trafitture micidiali della scienza epicurea.

Ero allora al tempo delle grandi curiosità. A dieci anni spezzavo i balocchi per osservarne gli interni congegni, a venti provavo un'irresistibile smania di notomizzar gli ideali in cui m'imbattevo. ·

Per gli uni e gli altri mi rincresceva poi d'averli distrutti, — ma ogni volta tornavo daccapo.

La virtù del curato, la sua calma in mezzo a tante tempeste e a tanta malvagità, la sua fede nel bene erano enigmi che mi premeva di scandagliare.

Aspettavo con viva ansietà le confidenze, — le rivelazioni promessemi il giorno innanzi: ma quella sera non vennero: il buon vecchio pareva aver scordata, nella quietudine della propria contemplazione, la sua promessa.

Parlò con la sua bonaria argutezza di cose alte, sublimi; una soave malinconia cresceva prestigio alle sue parole. Era impossibile dubitare della sua sincerità. Io era un po' distratto; ma a poco a poco il discorso cattivò la mia attenzione, e vi presi parte anch'io.

Dopo cena Baccio mi accompagnò nella mia camera

Gli manifestai la mia meraviglia per la tranquillità dal curato.

— Sempre così, mi disse; quando lo colgono dei grandi dispiaceri ha degli accessi subitanei, violenti, ma che durano poco: egli si ritira in qualche angolo, passa qualche ora a pensare, — poi torna quel di prima, rassegnato, indulgente con tutti.

XX.

Seguirono dei giorni queti quanto i primi erano stati tempestosi. La vita è piena di tali contrasti « inverosimili ».

Pareva che tutta quella burrasca si fosse scatenata apposta per farmi sentir meglio la pace profonda del Presbiterio.

Dopo una settimana io mi chiedeva se, per caso, tutto quell'imbroglio, non fosse un sogno: non aveva più incontrato nè il sindaco, nè il Bazzetta.

Non vedevo che i miei ospiti. Sempre gli stessi volti, sempre le stesse cose, alle stesse ore. In quella dolce uniformità di abitudini nessun altro avvenimento che qualche nuovo piatto, qualche torta di pomi, qualche nuovo guazzetto di Mansueta.

Faceva la mattina di buon'ora grandi passeggiate pei monti, m'inerpicavo sulle vette circostanti, mi ficcava in tutti i burroni, in tutte le macchie; felice se riuscivo a scovarne qualche immagine, schiva dei sentieri troppo battuti, o qualche rima discreta.

Avevo anche ripreso i miei studi di pittura. Nel pomeriggio, appena scemava un po' il caldo, — scendevo colla mia cassetta alla cascata dove avevo trovato un motivo eccellente d'alberi e di rupi.

Qualche volta il curato veniva a raggiungermi, a vedere « se il dipinto andava innanzi » — ma veramente la sua presenza non giovava punto a mandarlo innanzi, — perchè quando arrivava lui si cominciava fra una pennellata e l'altra a discorrere, — ed erano più i discorsi delle pennellate. Il lavoro era un comodo pretesto di star là seduti fino a che il sole scendeva giù in Valsesia.

In casa mi dava soggezione la presenza di don Sebastiano, il vice-curato, — il quale, secondo l'usanza, partecipava sempre alla mensa del presbiterio. Egli non mostrava troppa simpatia per don Luigi ; e il torto era tutto del suo carattere arcigno , del suo spirito gretto e farisaico. Quel testimonio freddo , impassibile, insensibile pareva fatto apposta per impedire le cordiali confidenze.

Nella solitudine della cascata , i nostri discorsi erano molto più intimi.

Si parlava di molte cose, ma più soventi di filosofia , di arte, di letteratura; egli non aveva ipocrisie, non si adontava s'anche cadeva nella conversazione il nome di un autore o di un libro messi all'indice dalla Romana Congregazione.

Confesso che soventi ce li facevo cadere io apposta , e , per quella curiosità che v'ho detto , lo guardavo di sottecchi per sorprendere sul suo viso gl'intimi sentimenti del cuore.

Nella letteratura moderna egli s'era fermato a Byron e a Chateaubriand , e del primo non aveva letto che il *Child-Harold*. Gli parlai del *Don Giovanni*. Poi , man mano gli feci gustare gli scritti piccanti degli autori più recenti: di Victor-Hugo , di Theophile Gauthier , di Heine , di cui avevo piena la mente.

Se gli domandavo le sue impressioni , — mi rispondeva schietto , anzi qualche volta préveniva egli stesso la mia domanda.

Mi faceva ripetere volentieri i miei poveri versi , — ed io sceglievo di preferenza i più bizzarri e i più sconclusionati. Li ascoltava con attenzione, senza

far le smorfie e si contentava alla fine di dire: —
che originale che siete!

Sopratutto si compiaceva di sentirmi a raccontare
dei miei viaggi. Io ho cominciato di buon'ora a gi-
rellar per il mondo a mio talento: a quel tempo conoscevo tutti i valichi delle nostre Alpi, ero stato in
Bretagna, in Normandia; avevo dimorato a Parigi;
e conosciuto colà quella generazione, per cui Victor
Hugo ha scritto *Les Misérables*, un'epopea, e Bau-
delaire *Les fleurs du mal*, un'imprecazione, cesellata
nel diamante — avida delle alte cose che le sfuggono,
sdegnosa delle basse che l'assaltano, generazione
crucciosa che prova il rimorso prima del peccato,
per cui il piacere è un cilicio che gli dilania il petto:
— avevo posato l'orecchio su quel grande cuore del-
l'umanità e ci avevo sentito con una gioia spaventosa gli stessi battiti morbosi del mio; le stesse
soffocazioni d'ideali, le stesse febbrili concitazioni
d'istinti. Io gli descrivevo il grande malanno, di tutti
noi venuti al mondo nello strettoio di un grande
peccato e di un grande ignoto; glielo descrivevo
col linguaggio crudele del notomista e del clinico
che è la sola e la dolorosa conquista della nostra
filosofia, linguaggio che incide ed uccide....

Quell'anima buona pendeva dalle mie labbra.... una
avidità ingenua, insaziabile lampeggiava nei suoi
sguardi scintillanti, — l'avidità di Adamo per le
tentazioni della scienza del male.

Poi, quand'io avevo finito, scoteva la sua nobile
testa come chi rinviene da un fascino opprimente, e
diceva sospirando:

— Ah! la vostra vita non è soltanto oziosa contemplazione, — ma è la lotta, — ed è anche la vit-

toria, poichè, dopo aver cosi giovane affrontati tanti
pericoli, n'uscite buono e credente.

Ero buono e credente davvero?

Egli mostrava di crederlo: nè io lo contraddicevo.

Forse lo era, — benchè non secondo i dettami
della sua religione

Appartenevo fin d'allora alla schiera di coloro che
negano assetati di fede, che portano il dubbio come
una croce in cerca di qualche nuovo Calvario.

A sentire i discorsi che noi pronunziavamo a voce
bassa salendo al lume del crepuscolo sotto i grossi
noci che costeggiano il torrente, si sarebbe detto
che il più vecchio ero io.

Egli era nato prima, e forse aveva vissuto meno.
interrogava la mia esperienza! mostruoso paradossso
di un'epoca in cui i venti anni hanno qualcosa da
insegnare ai sessanta!

Però quel candore che con tanta sollecitudine si
faceva incontro alle mie tristi rivelazioni doveva
celare un mistero. E mi ero proposto di scoprirlo.

Il buon prete intendeva forse per la prima volta
discorsi strani come quelli che io gli tenevo. —
Dalla adolescenza alla vecchiaia egli aveva trascorso
gran parte del viver suo in un mondo primitivo —
Ma, chissà, la passione doveva aver picchiato alla
porta del suo eremo, — essa conosce i sentieri delle
tebaidi. Non sempre quando lo spirito è invitto, il
cuore è inespugnabile e nell'assalto alla |coscienza,
il dubbio è il più codardo; egli retrocede quando le
tentazioni accorrono all'assalto; ma queste hanno
sempre degli alleati nella cittadella: — gli istinti.
Molti santi vittoriosi di Leviathan hanno piegato
innanzi ad Artadoth, il demone della voluttà.

La passione aveva picchiato alla porta del suo eremo, — il santo era forse riuscito a respingerla, ma non senza fatica, — lo mostrava quella curiosità ch'io aveva potuto ravvivare disotto alla cenere degli anni, il temperamento sanguigno del prete.... una segreta cura che gli leggevo nel viso.... Ma dopo tutto che gusto era il mio di investigare l'umile, il comunissimo romanzo di un povero prete ? Non so, — non già per irriverenza malevola, — per un vivo capriccio di artista, di psicologo, null'altro. Del resto il mio rispetto per lui non poteva scemare per la conoscenza di qualche umana debolezza.

Tuttavia, tanta è la forza delle massime convenzionali avute dall'educazione, che qualche volta arrossivo di questa mia innocente curiosità. Me ne vergognavo come di una profanazione.

Don Luigi nell'esercizio del suo ministero me ne imponeva. Sapeva congiungere alla dignità del sacerdozio una grande semplicità di cuore.

Una volta, nel pomeriggio della seconda domenica dopo il mio arrivo a Sulzena, ero passato innanzi alla porticina del coro mentre egli faceva *la dottrina* ai ragazzi: mi fermai ad ascoltarlo: la sua voce delicata, armoniosa arrivava a me congiunta alla soave fragranza del tempio e le somigliava: egli alternava alla recitazione dei dogmi l'insegnamento di una sua morale spontanea, indulgente, amorevole. Egli era sicuro del suo Dio e delle promesse che faceva in suo nome.

Nelle sublimi puerilità del rito, nelle premure quasi femminili per il suo altare, era poeta ed artista e però anche fanciullo. Sceglieva le rose egli stesso per riempiere i suoi vasi, ne disponeva in leggiadra guisa i colori, vi faceva piovere su dalle terse vetrate della cupola un raggio di effetto sapiente, una luce tranquilla che ispirasse un dolce e gradevole raccoglimento.

Ed era poi tanto umano e tanto sollecito dei suoi parrocchiani, egli prendeva sul serio la sua cura d anime: dove si soffriva non mancava mai nè il suo soccorso nè la sua consolazione. Certe mattine all'alba mentre uscivo per le mie corse montanine lo incontravo che rientrava: aveva passata la notte al capezzale di un infermo; era stanco, afflitto ma non abbattuto: mi dava il buon dì con un sorriso ed entrava in chiesa ad offrire davanti al suo tabernacolo i voti della povera creatura di cui aveva nella veglia penosa assistito i patimenti

In quei momenti sentivo tutta la sua superiorità, tanto più grande quanto più inconscia.

Quando don Luigi veniva alla Cascata, era un amico, un ingenuo compagno che conosceva molto meno di me le cose e le vie del mondo.

Una cosa mi meravigliava Don Luigi non parlava mai di sè.

Se, discorrendo, mi appellavo alla sua esperienza e gli dicevo: « voi sapete questo e quest'altro » non diceva nè sì nè no; qualche volta impensieriva come se una subitanea rimembranza lo assalisse E la tristezza, ogni giorno crescendo, gli oscurava lo sguardo.

Un giorno, mentre all'ora consueta, noi due eravamo alla Cascata, capitò il dottore De Emma. Era stato a casa, non ci aveva trovati ed era venuto a raggiungerci. Sedette sotto i noci e fe' da terzo nella nostra solita conversazione.

Il discorso cadde sul *Renato* di Chateaubriand, lugubre protesta del dubbio uscita dall'anima di un credente.

— Strano enigma! sclamò il curato

— Enigma sì, io dissi, e mostruoso, ma punto strano.

— Come? domandò Don Luigi

⌐ — Queste buie disfatte della ragione e della coscienza sono frequenti nella vita.

— Il pittore ha ragione, disse il signor De Emma, le passioni buone o cattive sono lievito originale della nostra natura. Dopo una lunga incubazione erompono come il vaiolo, irresistibili, spesso micidiali, talvolta provvidamente salutari

Don Luigi parve colpito da queste parole, diè una strana occhiata al dottore e domandò·

— Credete?

— Si, colla differenza che il vaiolo si può prevenirlo col vaccino, mentre per quell'altro male.....

— Non vi sono preservativi? ed aggiunse dimessamente: ma e la virtù e il dovere, e...

— Sono freni, — resistono, ma si spezzano. Ci vorrebbe uno sfogo anticipato, una specie di vaccino morale; una cura previdente di affetti che stornassero in tempo le forze germinanti del male. Ma quale? come indovinarle prima di conoscere il male? Difficilmente si può e si sa fare. Spesso le condizioni, le ripugnanze sociali vi si oppongono. E il più delle volte è impossibile lo scandagliare in fondo alle indoli talvolta diversissime nella sostanza dalle loro superficiali apparenze· ne ho viste talune disformarsi nella crisi subitamente, rivelare tendenze di cui non si sarebbe mai sospettato l'esistenza. E ne ho viste dell'altre trasfigurarsi ; e giusto non dimenticherò mai uno stranissimo fatto accaduto a Sorese in Brianza dove la mia famiglia possedeva molti anni sono vasti poderi ed io mi recavo con essa a passare i mesi delle vacanze. Una delle *bellezze* o *rarità*, come dicono i ciceroni, di quel villaggio era Tonio, un povero cretino di dieciotto anni, sciancato, losco, peloso, due terzi meno che scimmia, un terzo meno che uomo, serio come un gendarme, ingenuo come una pulzellona, orfano, nudrito, o quasi, a spese del Comune, errante a saltelloni su e giù per le strade, sdraiato in gennaio nella neve, accocolato di pien meriggio sotto il sollione di luglio, creatura incapace ed inoffensiva che rispondeva con un sorriso ed un mugolio a chi gli gettava il soldo o il tozzo di pane.

Ora, era avvenuto cotesto, che, trovandosi fornita per bene la cassetta delle elemosine, il dabbene parroco di quel villaggio, aveva deciso, previo consenso degli onorevoli fabbricieri, di commettere a un pittore di città, una nuova Madonna, ad olio, s'intende, e di grandezza naturale, da collocare al posto di quella vecchia e sdruscita che faceva torto all'altar maggiore, e, a detta di chi se ne intendeva di arti belle « era ormai una Madonna che non valeva più un fico ».

Quale solennità non fu quella dello insediamento della nuova Madonna!

Ad ogni svolto di via, archi trionfali costrutti di paglia intrecciata e di mortella, festoni dall'una all'altra grondaia, tappeti, lenzuola, coperte da letto ad ogni finestra; altarini posticci, irti di moccoli smilzi smilzi e di imagini di santi ancora più smilzi, baracche di merciaiuoli, chicche, aranci, castagne,

— per le circostanti praterie assiti e panche e tende
d'ogni colore e d'ogni foggia con vendita di vino e
di birra; e ciarlatani e spacciatori di zolfanelli e
cantatori di *bosmate*, a suon di pifferi e di chitarre;
— e forestieri a bizzeffe, e di quelli, veh! venuti
le cento leghe da lontano; e il cortile dell'albergo
pieno zeppo di carri e carrette e carrozze, — e fior
di signori e signore dagli abiti di panno chiaro e
dagli ombrellini di seta e, — ad ogni quarto d'ora,
— una salva di mortaretti che faceva traballar tutto
e tutti dall'un capo all'altro della borgata.

Io vedo tuttociò come se mi fosse ancora presente
davanti agli occhi; mi sento ancora pigiato da quella
folla variopinta in cui si faceva largo di tratto in
tratto, coll'autorità dell'abito e forse più con quella
dei gomiti, qualche pievano in ritardo, già preli-
bante la lauta imbandizione del parroco; in cui si
incrociavano in altrettanti saluti, congratulazioni,
appuntamenti per la cena e pel ritorno, tutti i mi-
nuscoli dialetti della Brianza, da quelli asmatici di
oltre Adda, e i secchi e spiccati del piano d'Erba,
fino ai cadenzati e grassotti che cominciano verso
la Camerlata e si spandono, con poche varianti, su
tutto il territorio di Varese, per dar posto ad una
lingua, quasi nuova di zecca, sulla sponda sinistra
del Verbano.

Tutta quella moltitudine era diventata d'un tratto
immobile, tutto quel cicalio era cessato come per
incanto, a un nuovo e più formidabile sparo di mortaretti e allo scoppio di una allegra fanfara che an-
nunciava l'arrivo della processione e quello della
nuova Madonna con essa.

Come la cattolica Dea passava davanti a me ed io
contemplava curiosamente quella figura dipinta dal

pittore di città, colla balda ingenuità di un Otten-
totto, una mano sulle spalle mi scrollava e una voce
ben nota mi distoglieva dal quadro. Era mio padre,
che abbassandomisi all'orecchio e additando il centro
del corteo mi diceva:

— Guarda la faccia di Tonio!

E infatti, Tonio era trasfigurato. Armeggiandosi
tra la folla con una destrezza che nessuno gli aveva
mai riconosciuto fino a quel giorno, gli occhi dila-
tati, intenti, assorti nella faccia della Madonna,
egli andava avanti colla processione come se non
toccasse coi piedi la terra, come se un nuovo spirito di vita agitasse il meccanismo del suo carcame,
e l'idea, per la prima volta, avesse susurrato chi
sa quali arcane sillabe all'animo suo Le labbra del
cretino erano agitate da un tremito convulso, pareva
che dietro di esse una parola bussasse disperatamente
perchè le venisse aperto!...

Io ricordo quella faccia, così che potrei, dopo
tant'anni, riprodurla, se fossi pittore, colla fedeltà
della fotografia.

La moltitudine, tutta assorta nella imponenza dello
spettacolo, non aveva badato alla trasformazione del
povero scemo, e forse nemmeno la sua profana presenza in mezzo a quel lusso di stole, di cappe magne,
di tricorni, di fiaccole e di stendardi incedenti nella
mistica nube dell'incenso e al suono cadenzato delle
liturgie

Ma il segrestano, una vecchia volpe bigotta,
quando il meraviglioso quadro ebbe passata la soglia
della chiesa parrocchiale, vi si piantò diritto davanti
coll'asta dell'elemosina adagiata orizzontalmente sul-
l'epa, e, a nome delle autorità civili ed ecclesiastiche,
intimò a tutto quel formicaio di popolo che non si

facesse un passo più in là; nel tempio non c'era
posto che per gli *invitati;* se volevano veder la madonna a suo luogo, venissero l'indomani; ordine
esplicito delle autorità costituite, imbandito da quel-
l'onorevole funzionario, or colle buone or colle brutte,
seconda del caso.

Ma Tonio voleva seguire la Madonna; implorava
collo sguardo e coi gesti e colle labbra balbuzienti
chi sa quale parole di supplica disperata. Il segrestano lo mandò a rotoli con un ceffone, tra le risate
del publico.

Venuta la sera, tornati alle loro case tutti quei
più o meno devoti visitatori, ridivenuto deserto e
tranquillo il villaggio, coricatosi il curato contento
e ben pasciuto, il segrestano aveva dato di chiavi-
stello a tutte le porte e porticine della chiesa, ne
aveva visitati tutti gli angoli, ed era a sua volta
andato a dormire ben pasciuto e contento.

Quale fu la sua meraviglia quando il mattino seguente, accendendo le candele per la prima messa,
inciampò in un corpo disteso per terra, ai piedi
della Madonna nuova, e riconobbe Tonio e constatò
che era morto!

Alla notizia del caso, divulgatasi nel paese in un
batter d'occhio, una vecchia aveva giurato sull'anima
sua di aver udito uscir dalle labbra del povero scemo,
mentre egli seguiva in quel tal modo la processione
— queste parole indirizzate alla Madonna:

« Ti voglio... bene! »

Sarebbero state le sue prime ed ultime parole...

Don Luigi non si mostrò scandolezzato del racconto.

Il dottore continuò:

— Chi poteva prevedere le precauzioni di tenerezza
che occorrevano a Tonio? e se si fossero potute prevedere? — chi avrebbe voluto accordargliele? Intanto
la prima immagine di donna che, per esser dipinta,
non stornò da lui, con ribrezzo, gli sguardi lo uccise.

— Ora facciamo, dissi con nuovo coraggio, facciamo il caso opposto.

— Sicuro, riprese il dottore, supponiamo un carattere nobile, elevato, un uomo superiore. Ebbene,
può darsi che egli abbia un'intima inclinazione a
delle sregolatezze strane. Ciò succede spesso: Rousseau ha detto che egli sentiva in sè, allo stato po-
tenziale tutti gli istinti del più scellerato malfattore:
moltissimi uomini, e dei migliori, potrebbero farvi
la medesima confessione. Questi istinti non si avver-
tono che quando una causa morbosa sopravviene a
suscitarli, cioè quando è troppo tardi per correggerli.
Torniamo al nostro esempio, facciamo le migliori
ipotesi, ammettiamo che quell'uomo superiore pre-
veda il pericolo — ma sarà egli in caso di scansarlo?
le funzioni, le convenienze, gli obblighi del suo stato,
un insuperabile pudore gli lasceranno la libertà di
scegliere i rimedi e di usarne in tempo? Qui sta il
punto.

Il dottore s'interruppe; e mi parve di leggere nei
suoi sguardi il rincrescimento di aver detto troppo.

Cambiò discorso· parlò di Beppe.

Il povero uomo, a quanto gli scrivevano, aveva
mostrata una grande docilità, ma era tutt'altro
che rassegnato. Si manteneva cupo, chiuso nella sua
pena come al primo giorno: adempiva il còmpito
della sua nuova condizione, ma con un fare distratto,
collo stupore di chi non vi si è ancora dimesticato
Gli avevano proposto di fargli venire i figlioli, —

egli ricusava sempre dicendo che sarebbe andato lui
a cercarli.

— « Quando sarò tranquillo » aggiungeva
Aspettavano dunque che egli fosse *tranquillo.*
Ma quel giorno non pareva vicino.

— Lo stato di quell'uomo m'inquieta, disse il
curato, siete sicuro che i vostri parenti riescano a
trattenerlo?

— Lo spero, rispose il dottore. L'ho tanto loro
raccomandato che faranno tutto il possibile

— E pensare, soggiunse, che noi ci diamo tante
brighe per la sicurezza di quel cialtrone del Deboni.
È vero che non si tratta solo di lui: se mai, una
lezione gli starebbe bene.

— Dio non voglia, sclamò don Luigi un po' sgomento.

— Non ha forse permesso il peccato? Però quel
disgraziato di Bebbe potrebbe perdersi: e, v'assicuro
che questo sarebbe il solo mio rincrescimento.

Noi eravamo frattanto tornati in paese e passa-
vamo giusto in quella davanti alla casa del mandriano. Sulla unica finestra del piano superiore notai
gli steli disseccati di un garofano che penzolavano
dall'orlo di una terrina rotta; — ricordo ed immagine della felicità di un tempo.

Annottava. Non so se fosse per i discorsi del dottore o per la mia naturale tendenza ad attribuire
sentimenti e pensieri alle cose inanimate; mi parve
di intravvedere nell'aspetto squallido di quella casa
abbandonata, chiusa, silenziosa, qualcosa di simile
ad una minaccia e involontariamente alzai gli occhi
alla casa del sindaco che si disegnava nel fondo
sopra un cielo di lucida opale.

Qualche passo più in là il curato ci lasciò per la solita visita che egli soleva fare prima di cena ai malati del villaggio. Salutò il dottore che voleva ad ogni costo tornare a Zugliano ed entrò in una porta dove un vecchierello lo attendeva come il vicario visibile della provvidenza.

Il signor De Emma mi accompagnò fino al Presbiterio, dove aveva lasciato la sua cavalcatura.

Allo sbocco della piazzetta c'imbattemmo in un giovine che scendeva dai monti con una scure in ispalla: il quale, appena ci vide, chinò il capo e accelerò il passo come volesse schivare il nostro incontro.

Il signor De Emma gli diè una voce, e lo costrinse suo malgrado a fermarsi

Allora, sotto le rustiche spoglie del boscaiuolo, ravvisai con grande sorpresa il mio amico Aminta, che, dal giorno di quel nostro colloquio alla Cascata, non avevo più riveduto.

— Che significa codesta novità? domandò il dottore

— È il signor Angelo che mi manda ai Roveretti a spaccar legna, rispose con amarezza e chinando gli occhi vergognoso.

— Ma perchè?...

— Mi sono arrischiato a dirgli che avrei preferito un'altra professione a quella ecclesiastica, — egli è saltato su tutte le furie, mi ha strappato la mia veste e mi ha detto che ero un villano, e che villano dovevo essere.

Balbettava, tremando, e pareva fosse sulle spine.

Il dottore non lo trattenne di più. Aminta ci salutò in fretta e s'allontanò di corsa.

Il suo terrore non era senza motivo: s'era appena allontanato che sbucò dalla farmacia la sinistra figura del sindaco, e passandoci innanzi ci diè una breve occhiata di traverso.

Il signor De Emma corrugò la fronte e mormorò: — poveretto, egli fa una dura penitenza! povera Rosilde se la lo vedesse! e non poterlo soccorrere! maledetto sistema di spiritualistiche ipocrisie!

Poi, accortosi ch'io lo guardavo con curiosa ansietà di penetrare le sue parole, tacque e s'avviò a capo chino.

A me rimordeva d'essere la causa di quella nova testina. E mi persuasi come, il più dei casi, i consigli sia ottima cosa tenerli per sè.

Anche in agosto, la sera, in montagna, un buon fuoco e sempre una gradita compagnia.

Intirizzito dalla brezza pungente che s'era levata al cadere del sole, mi recai in cucina.

Mansueta seduta davanti ai tizzoni rimondava delle patate per la minestra e intanto teneva d'occhio la pentola che brontolava in mezzo al camino.

Ella non mostrava la sollecitudine dell'altre volte; una delle sue bravure era quella di levare la peluria tutta intera e di farla cadere a terra a spire come la scoria di un serpentello: ma quella sera la rompeva ad ogni momento e i pezzetti saltavano nel piattello, — s'interrompeva spesso e si poneva la mano sugli occhi come per tergere qualcosa che le facesse velo alla vista.

Finalmente in uno di questi intervalli la pentola levato il bollore traboccò sulle brace che crepitarono e stridettero annerandosi quasi dalla vergogna dell'inaudita trascuranza di Mansueta. La buona vecchia non resse a tanta mortificazione: l'afflizione che l'accorava irruppe.

Mi contò piangendo che aveva visto il nipote.

10

— Povero ragazzo, mi si spezza il cuore vederlo
così maltrattato, lui tanto buono e sommesso!

Mi provai di consolarla: le dissi che Aminta sarebbe presto liberato di quella schiavitù di cani. —
E volevo accennare alla sua età e al coraggio che
con essa avrebbe acquistato.

La buona donna mi fraintese, e oltrepassando il
significato delle mie parole mi disse con rustica fran-
chezza:

— Liberato, oh sì ci vorrà ben altro! Quell'orso
ha il cuoio duro: è tomo da campar cent'anni.

— Oh, soggiunsi ridendo dell'equivoco, oh! se
appena gliene capita il destro, colui ci facesse la
grazia di accopparsi.... l'occasione sarebbe sempre
ottima per tutti di perderlo.... Ma in ogni caso vostro
nipote non dovrà mica aspettare quel giorno per
scuotere il giogo. — E giusto io avrei certi pro-
getti in cui voglio sentire il parere di Don Luigi.

— No, saltò su a dire la donna, no, la non gliene
parli per carità, egli non può senz'accorarsi sentirne
a parlare; gli vuol tanto bene che il solo pensiero
delle sue sofferenze lo fa piangere. In questi giorni
è già sempre tanto tristo che non ha bisogno di
nuovi dispiaceri. La non gli dica nulla; ci pense-
remo poi al povero Aminta; ora, poichè la Madonna
ce l'ha mandato, faccia di tener allegro il mio padrone, di distrarlo.

La buona fantesca nella sua idolatria pel padrone
sapeva far tacere anche la voce della sua tenerezza
quasi materna per Aminta, l'unica creatura della
sua famiglia che le restasse al mondo.

Quando intesimo il passo del curato, ella si scosse,
si assicurò di aver gli occhi ben asciutti, prese il
suo solito fare lesto e volonteroso e per tutta quella

sera io contemplai con ammirazione que' suoi occhi affaticati e quel suo volto scarno sorridere mentre avrebbe pianto tanto volentieri.

Non scorderò mai quelle sue rughe venerande, in cui non dirò come il secentista, che vi s'appiattassero gli amori, ma traspariva tanta e così limpida devozione, una bontà schietta, animosa!....

E anche Don Luigi, benchè avesse tanti motivi di tristezza, più assai e più gravi di quel ch'io potessi allora immaginarmi, si faceva una gran forza e conversava e mi parlava di me, delle cose mie dimenticando, nella premura di intrattenermi piacevolmente, sè stesso e le sue pene: tutto ciò senza sforzo per una volontaria e spontanea delicatezza.

Invece io, il solo senza fastidi (allora non ne avevo), io spensierato, pareva il più cruccioso di tutti. Ammiravo come ho sempre ammirato senza poterlo imitare, quell'eroismo umile di tutte le ore che piglia la vita come vien viene, come una battaglia e la combatte valorosamente ad oltranza.

XI.

L'indomani Don Luigi uscì subito dopo il desinare, — e più tardi lo aspettai invano al solito ritrovo. Non mi sentivo di vena a lavorare; dopo aver buttate giù, a lunghi intervalli delle pennellate a casaccio di quelle che non persuadono la coscienza, presi una risoluzione, raccolsi i miei barattoli e me ne tornai difilato a casa.

Don Luigi non era rientrato.

Baccio mi disse misteriosamente:

— Il sor curato è salito alla Carbonaia, ciò vuol dire che tornerà di buon umore. — Non c'è stato da quasi un mese; quella passeggiata gli fa sempre un gran bene.

Il sagrestano si fregava le mani soddisfatto e intieramente sicuro dell'efficacia del rimedio.

Compresi dalle sue parole che si trattava del terreno prediletto, causa delle contestazioni del sindaco.

Mi prese ansietà di vedere questo miracoloso rifugio. Mi feci indicare la strada e, sotto pretesto di andare incontro al curato, affrettai il passo per prevenire il suo ritorno.

Il sole era alto ancora e il luogo non era distante che un miglio scarso.

Dopo una mezz'oretta di un sentiero scheggioso e incassato in una gola stretta e boscosa, sbucai sopra un piccolo altipiano, quasi tondo, posto sul culmine di un poggetto, una specie di sperone del monte Grigio, il quale s'innalza brullo nel fondo. Si domina di là il villaggio, e la valle fino a Zugliano

Era quella la mia meta: la riconobbi subito dalla quercia fronzuta che spiegava maestosa nel mezzo i suoi rami sopra gli avanzi di una casupola bassa abbandonata come se ne vedono tante in montagna, specie di covo umano da cui il bisogno o la morte ha snidato la vita.

Malgrado il suo nome prosaico di Carbonaia il luogo è delizioso: vi cresceva un'erbetta minuta e d'un bel color chiaro chiazzato a lunghe zone di menta fiorita. È remoto ed aperto nel tempo stesso. Lo Strona lo difende da una parte, e un inaccessibile burrone dall'altra: una macchia fitta di castagni cresciuti rigogliosi dalle ceneri degli antichi forni permettono di spiare non visti tutti i sentieri che scendono dal monte e salgono dalla valle.

La dimora che ha servito ai carbonai è deserta da molti anni; la natura ha preso possesso di quella rovina. L'ha coperta di muschi d'edera: ha riempito tutte le fenditure coi capelveneri e colle felci, — tuttavia essa può servire di riparo contro un temporale improvviso.

Come mi aveva detto lo speziale, non era un fondo fruttifero; il godimento quasi del tutto nominale di esso era da tempo immemorabile lasciato alla parrocchia, cioè ai poverelli che nel nome di lei ne ricavavano qualche pugno d'erba l'estate e qualche fardellino di legna l'inverno. Ma il sindaco pretendeva rivendicarlo per antico dritto di proprietà non mai abbandonato che precariamente dal comune, — e coonestava l'animosità col progetto di farvi passare una viottola assai incomoda del resto che dalla strada provinciale, che saliva al di là della Strona, mettesse direttamente senza passar in paese alla frazione di Fontanile, le cui case si vedevano in fondo accovacciate in una piega del monte e non giustificavano davvero colla loro importanza quella singolare premura sindacale.

Inoltrandomi fra le macchie, scoprii don Luigi.

Era seduto dietro la casupola sopra un grosso ceppo di castagno coverto di muschio; teneva la fronte bassa appoggiata al dosso della mano e aveva le guancie rigate di lagrime.

Non si accorse di me.

Ebbi rimorso di averlo spiato.

Per salvare almeno le apparenze, mi rivolsi indietro pian piano e, quando mi fui allontanato con-

venientemente, mi posi a cantarellare ad alta voce
per metterlo sull'avviso della mia presenza

Egli mi richiamò per nome.

Quando tornai da lui, s'era ricomposto, ma senza
ombra di dissimulazione. Mi diè uno sguardo di
amichevole confidenza, mi prese la mano e la tenne
alcuni minuti nelle sue senza far motto.

— Figliuolo, mi disse poi, ho pensato alle idee
ieri manifestate dal dottore.... e, posso errare, ma
quello mi pare materialismo nè più, nè meno. — È
un argomento che prova troppo.... e nulla. Coll'am-
mettere l'irresponsabilità delle inclinazioni, si esclude
la colpa, e il male; si esclude la pena, la sanzione
e il giudice.... È tutto una conseguenza. Quanto a
me, dinanzi a questo cielo e a questi luoghi, testimoni di tutti i miei pensieri.... e dei miei errori,
— vi assicuro, — del male che ho fatto preferisco
sentirmene responsabile e accusarmene, — perchè
ciò mi da la speranza di ottenere perdono per me
e la consolante certezza che sarà riparato per gli
altri. Che ne dite?

Che potevo dire? Il materialismo allora mi dava
assai meno fastidio di adesso. Non lo conoscevo che
da lontano, e mi seduceva coll'apparenza di una
generosa, eroica ribellione contro la più assoluta
autorità dell'universo. Pure ammiravo l'ingenua
bontà di quell'animo che s'adombrava al pensiero
di esser liberato da una obbligazione e protestava
contro l'assoluzione offertagli, con una logica che
veniva dal sentimento più che dal raziocinio.

Esternai la convinzione che le sue parole non
avessero altro movente che una eccessiva austerità
di coscienza.

— Il male che avete fatto è un modo di dire, soggiunsi, ma non è di tal natura da rimordervi troppo.... e quanto alla riparazione ella è bella e fatta a quest'ora....

— Zitto, vi prego, — m'interruppe subitamente turbato, — zitto, voi non sapete nulla.

Volevo replicare, ma egli ripetè :

— Non sapete nulla, non sapete nulla.

Poi dopo alcuni minuti di silenzio, con maggior calma e una malinconica intonazione di voce :

— No davvero, figliolo, non posso scroccarvi un giudizio tanto indulgente. La santità di ser Ciappelletto mi ripugna.

La sua modestia era tanto sincera e tanto viva che non ardii combatterla, tacqui.

Don Luigi si alzò, passò il braccio sotto il mio e mi trasse con sè in gran fretta.

Al principio del sentiero si volse, abbracciò con uno sguardo di ineffabile tenerezza quel suo prediletto ricovero.

— È forse l'ultima volta ch'io vengo quassù, mormorò ; — oh i decreti di Dio colpiscono giusto....

Cominciammo a scendere la china in silenzio.

Don Luigi era triste, accasciato come non l'avevo mai visto. Mi parve allora assai più vecchio del solito ; si appoggiava al mio braccio e camminava a stento.

Appressandosi al villaggio si rinfrancò un poco ; ma non tanto che Baccio non s'accorgesse della sua tristezza.

E mi disse con sincera schiettezza :

— Vossignoria è andato a disturbare il curato ; ha fatto male, ha fatto male. Egli aveva bisogno di restar solo.

— Perchè ? domandai sorridendo a fior di labbra.

— Perchè, quando nessuno l'inquieta, egli trova colà nella solitudine il rimedio di tutti i suoi fastidi.

E mi contò i mirabili effetti di quel luogo sull'animo del curato, ch'io sapevo già dallo speziale.

— Ma cosa ci trova lassù ?

— Dicono, rispose esitando il sacrestano e abbassando la voce, dicono che venga un angelo a visitarlo.

— Un angelo, chi l'ha veduto ?

— Saranno quasi vent'anni, un giorno tornando dalla Valsesia, scendevo per il Mongrigio. Arrivato a un certo punto dove il sentiero sovrasta al piano della Carbonaia guardo in giù e scorgo qualcosa di bianco fra i castagni: era una figura di donna ravvolta in un velo lungo fino a terra sotto al quale traspariva una veste azzurra. La visione passò lentamente fra gli alberi e scomparve dietro il muro dei carbonai. Non la vidi che un minuto, ma ne fui abbagliato. Splendeva più del cielo', — andava cauta ma tanto leggiera che non pareva toccasse la terra. Dopo il primo stupore calai giù, passai il ponte dello Strona e, girando intorno alla collina, passai la strada di Sulzena Allo sbocco del sentiero della Carbonaia incontrai don Luigi. Allora aveva dei dispiaceri ed era triste, afflitto più di adesso. Ma quel dì mi sembrò tutt'altro : mi passò vicino senza vedermi, incantato come uno che viene dal paradiso.

Il paragone di Baccio non mi sembrò punto strano: il suo racconto in cui altri più positivo di me non avrebbe visto che una fiaba grossolana, mi interessava grandemente. Lo ascoltai come la più seria cosa del mondo. Egli era certo in buona fede. Eravamo in sacristia dove don Luigi ci aveva lasciati soli per entrare in chiesa a parare l'altare per la benedizione. Il sacrestano mi fece la sua confidenza agitando il turibolo a ravvivarne le brace. Il barlume del crepuscolo cadeva dall'alte e strette finestrelle su certi visi pallidi di madonne e di sante; il bisbiglio sommesso dei devoti che entravano in chiesa, certi echi profondi, un acuto profumo d'incenso, — la maestà del luogo disponevano l'animo al meraviglioso.

Un po' di prodigio cresceva attrattive alla misteriosa figura del curato.

XII.

Durante la benedizione uscii a passeggiare sul sagrato deserto; la porta della chiesa spalancata sugli arpioni, lasciava vedere l'altar maggiore illuminato e i riflessi cadevano sulle casupole della piazzetta.

La sera era buia: nelle tenebre fitte del villaggio, nessun altro lume che quello della chiesa. Così nella dura vita di quella popolazione montagnuola solo spiraglio d'ideale era la religione.

Densi globi d'incenso salivano innanzi al tabernacolo d'argento. Cantavano il *tantum ergo*, inno di lode, dalle intonazioni gravi e melanconiche come tutti gli altri della chiesa.

Un solo popolo, che io mi sappia, fortunatissimo popolo d'artisti, fece della gioia un sentimento sacro, — fu il Greco, che inghirlandava di rose e di verbene le colonne dei suoi templi, e intrecciava danze festose innanzi all'ara del sacrificio. — Non ostante il biblico precetto del *servite Domine in laetitia*, il concetto della nostra religione, — come di tutte quelle che il mistico Oriente ha generato, — è il dolore. Tutte le sue parole sono meste, tutte le sue speranze e le sue promesse sono oltre il limite funesto della tomba. — Seguace d'un Dio che non ha potuto sottrarsi ai patimenti, la umanità cristiana sale il Calvario, il soffrire è per lei l'unica salvezza. L'antica filosofia ellenica si è affaticata dietro il vello d'oro della felicità mondana.... un bioccolo solo, un minuto di gioia alla luce del sole !.... Invece Santo Ambrogio, narra un'antica leggenda, quando trovò un uomo felice ordinò alla sua gente di seguirlo immantinenti fuori della casa di colui, la quale doveva essere per la sua fortuna abbandonata da Dio ! Chi aveva ragione? È un problema che la fossa risolve in un modo, — e la croce che vi sta su in un altro.

Il rito era compiuto : alla salmodia sottentrava il lugubre borbottio del rosario : — una vecchia dalla voce rauca faceva le proposte ; un coro di gemiti rispondeva. Baccio spegneva le candele.

Poi uscivano dalla chiesa i fedeli, e, quetamente, ad uno ad uno si perdevano nelle strette viuzze muti come ombre. Un breve scalpiccio che s'allontanava, poi un lugubre silenzio non interrotto che dal ciangottare dell'acqua nella vasca della fontana.

Nei paesi dell'alta montagna nessun crocchio la sera; la battaglia aspra, cupa della vita, da una avemmaria all'altra, — il resto, quando non è del dolore, è del riposo.

Poco dopo entrando in cucina fui assai sorpreso di trovare Aminta in vivace colloquio con Mansueta.

M'accorsi ch'io non dovevo essere del tutto estraneo ai loro discorsi, perchè entrambi si volsero con premura verso di me.

— Ho bisogno di parlarvi, disse Aminta.

— Oh bravo, soggiunse Mansueta, gli dia lei un buon consiglio a questo povero ragazzo. Io, vecchia ignorante, non ho che gli occhi per piangere.

Aspettavo che Aminta mi informasse di che si trattava.

Ma egli sembrava tanto smarrito che, dopo le prime parole, non aveva potuto tirare innanzi.

I suoi ignobili panni di montanaro erano laceri e lordi di fango.

— Egli è fuori di casa da stamattina e non osa più rientrarvi.

— Colui l' ha ancora maltrattato? domandai al giovinetto.

— Sempre, continuamente, rispose raccapricciando, e guai s'io gli capitassi adesso fra le mani.

— Vuol lasciare il paese, riprese la donna singhiozzando: ma dove andrai, cosa vuoi fare tutto solo, pel mondo, come tua madre, che ha tanto sofferto?

— Non so, balbettò Aminta, venivo da lui perchè mi aiutasse, mi raccomandasse a qualche amico.

Ed indicò me guardandomi con ansietà.

Io non sapevo che rispondere. Preso lì su due piedi mi sentivo impacciato a indicare i mezzi di una risoluzione che avevo consigliata io stesso.

Mansueta disse:

— Figliolo, rifletti finchè sei in tempo. Forse tu fai il caso peggiore di quel che sia: se trovassi una scusa..... e tornassi?

— No, no, interruppe spaurito il nipote, con tutta la risoluzione della sua timidezza; — no, no io non tornerò più.... non tornerò più....

— Se ti facessi accompagnare dallo speziale, egli forse saprebbe ragionare il sor sindaco.

— No, no, ripetè Aminta.

La sua ripugnanza era davvero irremovibile.

— Pensaci bene, ragazzo, — fra poco tu rientrerai in seminario; qualche settimana è presto passata. Vuoi buttare con tanta facilità la certezza di un patrimonio come quello del sindaco? Egli non ha figliuoli, non ha parenti, tutta la sua roba ti apparterrà un dì o l'altro. Ciò val bene un po' di pazienza. Tu sarai ricco.... ma se te ne vai a questo modo perderai ogni cosa.

— Non importa, oramai mi vergogno di accettare l'elemosina di quel manigoldo, in fin dei conti perchè vivo alle sue spese? che sono io per colui? ditemelo, zia, sono in età da saperlo, mi pare.

— Egli è la persona a cui tua madre ti ha raccomandato..... rispose Mansueta confusa.

Ed io che le stavo vicino l'intesi sospirare: Oh Rosilde! Rosilde!

— La sua roba non la desidero, io non voglio più nulla da lui..... foss'egli mio padre non voglio più vederlo; egli m'inspira odio, — ed io non vorrei che dimenticarlo. Egli mi detesta, mi tiene per forza, perchè. dice, gli sono stato imposto.... ma perchè, domando io, impormegli? M'avessero buttato in mezzo alla strada era meglio... era meglio che fossi morto. .

In questo punto una dolorosa esclamazione ci fè voltar tutti e tre.

Don Luigi era lì dietro a noi appoggiato allo stipite dell'uscio.

Aminta s'interruppe a mezzo del suo sfogo e chinò il viso rosso dalla vergogna

Il curato si fe' innanzi. gli pose una mano sulla spalla.

— È vero, ho fatto male, compatiscimi

Egli era pallidissimo: la sua voce tremante rivelava l'interna battaglia degli affetti.

Il giovane al colmo della confusione voleva buttarsegli ai piedi.

Egli lo trattenne, lo strinse fra le braccia.

— Ho fatto male, ripetè con maggior forza, molto male, ma, se Dio vuole, vi metterò riparo.

Poi piegando la sua testa fino ad appoggiar la guancia sui capelli di Aminta, soggiunse intenerito:

— Tu non tornerai più dal Deboni. È la Provvidenza che mi ti manda; ch'ella sia benedetta, poichè si è degnata di soccorrere la mia debolezza. Il mio cuore ti desiderava, ti cercava, tu sei venuto; ebbene tanto meglio! tanto meglio!.... Oramai il tuo avvenire mi appartiene; per fortuna nessun vincolo giuridico ti lega alla persona che finora s'è incaricata di te. Farò il possibile per risarcirti di quel che hai sofferto, voglio che tu sia contento, figliolo mio; penserò io alla tua sorte.... intanto per ora starai con me, — questa casa è, come nei giorni della tua fanciullezza, la tua;.... tornerai ad abitare la cameretta d'una volta.... poi vedremo cosa s'ha da fare.

Don Luigi, così dicendo guardava me e la Mansueta come volesse prenderci a testimoni del solenne impegno che si assumeva.

Noi eravamo sopraffatti dalla commozione, dalla meraviglia, dalla riverenza.

Quanto ad Aminta egli non poteva parlare: ricambiò il suo benefattore con uno sguardo di riconoscenza, di gioia ineffabile.

Io mi chiedevo quali crudeli esigenze avevano potuto separare in questo mondo così arido di sentimenti generosi, quelle due nobili creature, così degne l'una dell'altra, fatte per comprendersi e per corrispondersi. È strano, anzi è triste, molto triste:

se vi sono due cuori che si vogliano bene davvero
tutto cospira contro di essi per disgiungerli, per
strapparli l'uno dall'altro, ed essi passano il maggior tempo della vita lontani a desiderarsi; per cui
quel loro tesoro d'affetti invece che di conforto riesce
loro una squisita tortura.

Don Luigi avvertì poi il singolare vestito di
Aminta :

— Poveretto, come sei ridotto! sclamò a mani
giunte.

Queste parole scossero Mansueta dal suo stupore:
in lei la sollecitudine della donna tornò a prevalere.

Ella descrisse gli strapazzi patiti dal nipote e
assicurò che egli doveva esser digiuno dalla mattina
in poi.

— Orsù, disse il curato, affrettate la cena e mettete a tavola un coperto per lui. E portategli subito
qualcosa.

Poi presolo per mano lo trasse amorevolmente
con sè, facendomi cenno di seguirli

Nel tinello c'era don Sebastiano Seduto davanti
la tavola già apparecchiata, al suo solito posto, leggeva il breviario aperto nel piatto, come si legge
il giornale per ingannare il tempo e l'appetito: —
sbrigava il Signore apprestandosi a soddisfare le più
gradevoli esigenze del ventre.

Quando il curato entrò con Aminta, levò gli occhietti grigi sopra agli occhiali e scattò loro uno
di quei suoi sguardi freddi, penetranti, da inquisitore.

Bisognava rispondere.

È curioso come don Luigi, spirito superiore, subiva l'ascendente di quell'uomo volgare.

S'affrettò a informarlo dell'accaduto, e a parteci-
pargli le sue risoluzioni per il giovine chierico.

— Spero, conchiuse, che non si disapprovera la mia condotta.

Don Sebastiano ascoltò con la massima indifferenza il racconto; e si guardò bene dal manifestare il proprio avviso · solo notò, così indirettamente, che il giovinotto, destinandosi alla carriera ecclesiastica, doveva dar prova prima di tutto della sua docilità verso *coloro che si prendevano cura di lui*

Poi ripiegò il muso sul suo breviario e ve lo tenne immobile finchè Mansueta recò la terrina della minestra. Allora lo chiuse subito sostituendo il riso alla preghiera con una calma ammirabile.

L'avrei stritolato. La sua imperturbabilità mise freno alla nostra commozione.

Secondo il solito egli uscì subito dopo cena: e ci sollevò della sua presenza. Allora don Luigi prese la mano di Aminta, e mentre io raccontavo, per la prima volta, il colloquio che avevo avuto parecchie settimane prima coll'abatino, egli lo guardava affettuosamente senza parlare. Mansueta, ritta in piedi, completava intenerita il quadro commovente.

Ma le peripezie di quella giornata non erano finite.

Un « si può? » stridulo si fè sentire.

E subito dopo la ciera aguzza dello speziale Bazzetta comparve nel vano dell'uscio.

L'indiscreto ciarlone, senza aspettar risposta, si fè innanzi con quelle sue maniere dolcereccie e sornione; diè un'occhiata curiosa ad Aminta, un'altra a don Luigi e allargò le ampie narici come per annusare ciò che accadeva nella casa.

Passandomi davanti mi porse la sua manuzza viscida e fredda e mi disse ammiccando furbescamente:

— Beato chi vi può vedere voi!

E senza aspettare invito, si pose a sedere al posto lasciato vuoto da don Sebastiano.

Don Luigi colla usata bonarietà gli chiese:

— Che buon vento vi porta?

— Eh ! buono non tanto.... sapete che....

E lasciò a mezzo la frase come per assaporare l'effetto della reticenza.

— Sapete che i consiglieri Gervasio, Lovati e Leonardo del Gasco hanno fatto opposizione presso all'Intendenza contro la rivendicazione della Carbonaia.... Ebbene l'intendente ha rinviato il reclamo alla Giunta con incarico di sottoporlo alla delibelazione del Consiglio. — L'avevo detto io, non mi hanno voluto dar retta, che costrutto ci hanno cavato ? nulla.. .

E s'interruppe di nuovo :

— Dunque ? disse don Luigi senz'ombra d'impazienza.

— Dunque? quando si dice la Giunta, si intende il Sindaco : egli ci ha riuniti oggi, e naturalmente si è deliberato di presentare il reclamo nella seduta di domenica. I due oppositori saranno soli a sostenerlo. — per cui, se non avete altra speranza, potete rinunziare fin d'ora alla Carbonaia.

— Ebbene, caro Bazzetta, bisognerà aver pazienza.... io vi ho rinunziato. Quel terreno, come tutti gli altri che posseggo, sono doni del comune. Se ora lo rivuole, e la legge non lo vieta... qualunque opposizione da parte mia sarebbe non meno sconveniente che illegittima.

Non si poteva dubitare della sincerità delle sue parole.

Il signor Bazzetta rimase piuttosto sorpreso che ammirato di ·tanta arrendevolezza.

Si sarebbe detto anzi che ne fosse scontento.

Si strinse nelle spalle coll'aria di chi si vede frodato da una legittima soddisfazione e disse :

— Bene, bene, ciò riguarda voi solo, — voi farete il piacer vostro : ho voluto avvertirvi....

— Ed io vi ringrazio di cuore, interruppe premuroso don Luigi.

— Credevo foste vivamente affezionato a quelle poche spanne di terra....

— Diffatti mi rincrescerà molto il perderle, — rispose un po' commosso il curato, — ma non si tratta del mio rincrescimento. Che volete, non capisco un prete che piatisce ; ciò è tanto contrario al nostro carattere... Non vi pare?

— Già, già, prevedevo che m'avreste risposto a quel modo, e mi sono detto: — perchè tanti misteri quando si possono fare le cose d'accordo, in buona armonia? E per questo motivo mi sono indotto a parlarvene. Voi conoscete i miei sentimenti conciliativi. Oh se tutti fossero come voi e me, che vita carina si farebbe! eh che paradisetto, che piccolo elisuccio la nostra Sulzena eh! che ne dite?

Il curato evitò di rispondere.

— Bevete, caro Bazzetta? domandò.

— No, grazie, — ben, due ditini, due soli ditini.... troppo incomodo.

E rivolto a me :

— Io e il signor curato, non s'è mai avuto in venti anni una parola da dire, vero don Luigi? È un uomo raro (no basta... troppo.... grazie... alla sua salute).

Bevette il secondo bicchiere, strizzò l'occhio luccicante, e ripetè schioccando colle labbra :

— Un uomo raro.

Non ostante questo subito entusiasmo si vedeva ch'era contrariato.

Non fu buono di riappiccare il discorso e nessuno di noi si diè la briga di aiutarlo.

Però dopo un quarto d'ora prese la magnanima risoluzione di andarsene. Ma non senza prima gittare ancora la rete per pescare qualche notizia.

Nell'uscire chiese ad Aminta se veniva con lui, che si sarebbero accompagnati sino in piazza.

— Aminta resta con noi, rispose don Luigi e soggiunse: — anzi fatemi il piacere voi di avvertire il signor De Boni

Lo speziale non potè trattenere un atto di meraviglia: la sua ciera volpina si aguzzò alla più viva curiosità

— Le solite... intemperanze? sclamò tentennando il capo, benedetto uomo quel De Boni!...

Ma le desiderate confidenze non venivano.

— Debbo metter io una buona parola? domandò.

— Grazie, per ora è inutile, disse il curato. il signor De Boni non disapproverà che Aminta resti colla zia. In caso verrò io a chiedere i vostri buoni uffici.

— Sta bene

Lo speziale non era proprio fortunato quella sera: non ne indovinava una. Indugiò un minuto sulla soglia; finalmente, con visibile malavoglia, uscì.

Mansueta, chiusa ch'ebbe la porta, tornando a ritirare i bicchieri, osservò:

— Egli è venuto per comprare, — e se ne va dal sindaco a rivendere.

Il giorno dopo fu segnalato da due grandi avvenimenti.

La mattina per tempo venne un messo del sindaco a recare le vesti di chierico ad Aminta e a chiedere a Mansueta certe carte ch'ella *sapeva,* — e ch'ella ricusò assolutamente di consegnare.

Poi, verso mezzodì, capitò di nuovo lo speziale a parlar con don Luigi.

Il colloquio durò a lungo.

Io ero nella mia stanza e la voce stridula del signor Bazzetta giungeva di quando in quando distinta fino al mio orecchio.

Senza quasi volerlo intesi ch'egli diceva :

— Il De Boni, in sostanza, se voi gli restituite quei documenti vi lascia la Carbonaia e promette di non darvi altra molestia nè ora nè mai..., ma vuole ad ogni costo le carte.

Il curato rispondeva :

— Quanto alla Carbonaia, ve lo ripeto, ho già rinunziato. Ditegli del resto che, nè per avidità di quel possesso, nè per timore delle sue misteriose minaccie, acconsentirei a tradire interessi non miei. Spero che voi troverete ragionevole la mia condotta. Non si tratta di me, ma del ragazzo: le carte sono sue.

Queste proposte e queste risposte si ripeterono, con diverse parole da una parte e dall'altra, molte volte.

E mi parve che la missione del signor Bazzetta restasse senza frutto.

Venni confermato quello stesso giorno nella mia opinione.

Dopo il desinare, quando don Sebastiano si fu ritirato, il curato disse ad Aminta che aveva a intrattenerlo di cose molto importanti.

Volevo uscire per discrezione, ma egli mi pregò di rimanere, dicendo:

— No, voi siete oramai di casa. siete amico di Aminta, avete molta più esperienza di lui, e sarà bene che egli abbia in questa circostanza qualcuno in cui liberamente confidarsi.

E volgendosi all'abatino che aveva ripreso la sua veste talare,

— Figliuolo mio, a scarico di coscienza. debbo avvertirti che abbandonando la casa del sindaco tu rinunzi a una fondata speranza di fortuna.

Aminta rispose vivacemente :

— Oh don Luigi, per me non ci può esser fortuna maggiore della sua benevolenza.

— Questa non ti può mancare mai, — ma puoi perdere delle sostanze....

— Non importa, non importa, purchè io non abbia a tornar più in quella casa. rinunzierei ad un regno...

— Sta bene, figliolo; fa il voler tuo. — Però ascolta Mansueta è depositaria di documenti che comprovano i tuoi diritti verso il signor De Boni. Tua zia ed io abbiamo creduto conveniente, per motivi di delicatezza e nel tuo stesso interesse, di non farli valere che indirettamente. Adesso egli li ridomanda.

— Oh glieli dia, che quell'uomo feroce cessi una volta di perseguitarmi.

— No, li conserveremo fino a che tu abbia raggiunta la età maggiore. Allora tu sarai in grado di giudicare la nostra condotta e potrai o continuarla o ripararla.

— So bene fin d'ora che lei ha agito sempre per il mio bene. Io non posso che ringraziarla lei e anche la zia... ma da quell'uomo non voglio più ac-

cettar nulla, è tempo che io mi guadagni il mio
pane. Mi vergogno di aver mangiato quello del signor
Angelo....

— Oh quanto a lui, saltò su a dire la Mansueta
ch'era presente, quanto a lui, ha fatto il peccato è
giusto che faccia la penitenza.

— Mansueta, l'interruppe don Luigi in tono di
dolce rimprovero.

— Aminta, soggiunse poi, i tuoi sentimenti sono
onesti, e se, quando tu sarai padrone dei tuoi atti,
la penserai ancora a quel modo, non sarò io a di-
sapprovarti

Mentre eravamo in questi discorsi tornò il signor
Bazzetta ad annunziare con gravità piena di mistero
che il Sindaco era su tutte le furie, che pretendeva
la restituzione di quei documenti e faceva, per il
caso di rifiuto, i più grandi spergiuri di vendetta.

Il curato, quella mite creatura, tutta indulgenza
e dolcezza, fu irremovibile.

— Voi sapete di che cosa è capace quell'uomo,
osservò lo speziale.

Don Luigi disse soltanto

— Fategli sapere che non lo temiamo. Egli non
può farci altro male che quello che il Signore per-
metterà.

E il signor Bazzetta dovette rassegnarsi ad uscire
senza aver cavato della sua seconda ambasciata,
maggior frutto che della prima.

XIV.

Le vendette del Sindaco non si fecero aspettare a lungo.

La domenica dopo ci fu riunione del Consiglio.

La seduta era stata annunziata con straordinaria solennità, come un cataclisma. Tutto il villaggio era preso dalla più viva ansietà. La mattina, in chiesa, era facile notare nell'uditorio una preoccupazione profonda.

Quando il curato si presentò all'altare tutti gli occhi si appuntarono sul suo viso come per esplorare i suoi segreti pensieri. Poi, durante la messa ed il sermone, continuarono degli strani bisbigli.

Anche don Luigi pareva meno calmo dell'altre volte: la sua voce era ineguale, il suo argomentare incerto.

Dalla tribuna dell'organo il Sindaco gli saettava delle occhiate d'odio inesprimibile. Il buon prete non guardava mai da quella parte, ma lo sentiva e se ne turbava sovente.

Fra quei due uomini si combatteva un formidabile duello: e pur troppo il Sindaco aveva il sopravvento.

Il dire che la bontà soggioga l'animo malvagio mi è sempre parso un luogo comune inventato dall'ottimismo. Nella realtà prevale il malvagio; l'uomo che non ha scrupoli è, alla pari, infinitamente più forte dell'uomo dabbene

Finita la spiegazione del vangelo, il curato scese dal pulpito e attraversò la chiesa per rientrare in sacrestia.

La folla si divise riverente innanzi a lui e sorpresi in tutti quei volti un'espressione di timida, di dolorosa premura, un rammarico sincero di non poterlo proteggere contro le prepotenze di cui era minacciato.

Il Consiglio doveva, secondo l'uso, raccogliersi subito dopo il servizio religioso.

Fui spinto dalla curiosità a seguire la folla che scendeva per la via maestra.

Sulla piazzetta vidi parecchi crocchi di montanari che discorrevano a bassa voce.

In fondo, un edifizio a un solo piano, come gli altri, ma più vasto, costrutto di pietre irregolari: in mezzo alla facciata, un pezzo, largo un braccio quadrato, intonacato di calce su cui una filza di lettere nere di forme bislacche, ineguali, riottose al forzato allineamento diceva: *Casa Comunale*. Sovr'esse un quadretto di legno, appeso per un solo angolo, penzolava obliquamente: l'insegna dello Stato, l'onesta croce di Savoia, la quale, quasi vergognosa di coonestare le sciocchezze e le bricconate che da tanti anni si consumavano là dentro, pareva volesse lasciarsi andar giù dallo sconforto.

Fermo sul limitare della porta coll'aria corrucciata di un pedagogo o di un aguzzino aspettava il Sindaco i suoi Consiglieri.

Di quando in quando qualche vecchietto dai calzoni corti allacciati al ginocchio sovra le calze turchine, si staccava dai gruppi, attraversava lentamente la piazza, ed entrava con una visibile ripugnanza nella casa comunale tirando una grande scappellata alla prima autorità del paese, che non degnava rispondere. Ne contai una diecina.

Seguì un certo intervallo.

L'inserviente. come filo scudiere, pendeva dai cenni del suo padrone.

Il signor De Boni battendo il piede con impazienza. gli disse imperioso:

— Orsù va a sollecitare que' poltroni

E il cursore a galoppare in cerca dei ritardatari. Il sindaco aspettava sempre.

Contemplavo da più d'un quarto d'ora quello spettacolo, novo per me, di rustico assolutismo e ne traevo delle considerazioni poco benigne per l'indipendenza e la dignità della razza umana, quando una mano sottile s'insinuò sotto il mio braccio.

Era lo speziale che mi sussurrò nell'orecchio:

— Venite con me vi apposterò in un luogo donde potrete intendere la discussione.

Mentre mi disponevo a seguirlo, lo scalpitio acuto di una cavalcatura si fè sentire sui ciottoli della strada.

Comparve un coso allampanato, le cui gambe lunghissime penzolavano ai fianchi del magro ronzino quasi fino a terra.

Era vestito con una certa pretesa cittadina mediocremente giustificata. ed aveva le tasche infarcite di cartaccie.

— È il segretario, mi disse il Bazzetta. un notaio di Zugliano : egli serve simultaneamente cinque comuni : un morto di fame che ci mangia duecento lire all'anno per metterci sossopra gli archivi municipali. Venite.

Mi trasse per un sudicio chiassolo in un sito dietro la casa del comune e quivi mi lasciò.

Erano poche tese di terra sul ciglio dell'altura. La valle si sprofondava quasi a perpendicolo sotto i miei piedi

Sedetti sull'erba fitta e bassa.

Il sole schietto rivestiva le montagne nevose in fondo, riempiva l'orizzonte di sbarbaglio e di luccicori. Il torrente, striscia di argento fuso, solcava la valle.

Il cielo profondo, limpido, aveva le trasparenze del vuoto sterminato.

Incombeva sul paesaggio l'alta pace, il silenzio meridiano.

Quante grandezze innanzi a me! quanta miseria dietro le mie spalle in quella piccola topaia umana!...

Io non conosco spettacolo più imponente di un mare tranquillo, di un paesaggio sereno: la tempesta, l'uragano sono, se si vuole, più vivaci, come il dramma, ma la calma è l'inno d'un euritmia eterna.

In esse comprendo la venerazione delle antiche fedi per la natura: vi è nella natura mesta, immobile qualcosa di più augusto, di più solenne che non nel multiforme, convulsivo agitarsi delle plebi umane; in questo tutto è contingente, relativo; la loro potenza è un attimo, la bellezza una larva, il genio una scintilla: — l'attimo passa, la larva scompare, la scintilla si spegne, — rimane l'immutabile, l'imperituro, l'eterno, rimane il cielo, rimane il monte. Quando le religioni cadono, il panteismo le raccoglie nel suo seno.

Povero ed onesto campanile di Sulzena, col tuo gracile pinacolo roso dal tempo e dalle parietarie, coi tuoi nidi di colombi, coi tuoi squilli modesti non mi parevi in quel momento che un punto d'interrogazione lanciato nell'infinito, una domanda rivolta all'ignoto che non risponde.

La seduta era incominciata: un affannoso borbottio da formole legali veniva dalle finestre aperte della sala comunale a interrompere le mie riflessioni

Quanto sperpero di preamboli, quanto apparato di autorità, di *risti*, di *attesoché*, di *considerandi*, di *ritenuti*, per uccidere la piccola gioia d'un uomo, per giustificare una piccola prepotenza e carpire il dominio di due palmi di terra infeconda!

Il segretario era asmatico, e, son sicuro, anche sdentato. La sua voce usciva a sibili ineguali e si raggomitolava in brontolii gutturali.

E dicono che la voce dell'uomo è il linguaggio dell'universo! Sarà, — in ogni caso non quella del segretario comunale di Sulzena.

Mentre si leggevano i documenti venuti dall'Intendenza, l'impazienza del Sindaco si tradiva con certi mugghi sinistri : si capiva che il messere si annoiava e avrebbe voluto andare per le vie più spedite

Scommetto che egli imprecava in cuor suo alla Costituzione, la quale aveva l'impertinenza di imporre tanto formulario al suo volere.

Tutt'ad un tratto egli interruppe il segretario.

— Basta, basta, sappiamo tutti di che si tratta. io vi ho detto chiaramente che quel terreno appartiene al Comune, a noi: che i nostri vecchi hanno avuto la dabbenaggine di lasciarsene spossessare dal prete · quella gente là pensava colla suola delle scarpe: trovava naturalissimo che la chierica facesse il suo pro del bene di tutti, non sapeva respirare se l'aria non era benedetta L'uomo inutile, il solo che non lavora e non guadagna, era allora il solo necessario: egli aveva i terreni migliori, gli armenti più pingui le donne più belle

Povero Don Luigi, — egli un uomo inutile! — egli la vera, l'unica provvidenza di quel piccolo mondo, il solo consolatore, il solo conforto di quelle ignorate sofferenze!

Il sindaco proseguì:

— Tutto è cambiato adesso: noi abbiamo aperto gli occhi e sappiamo far di conto: i *paternoster* e i *deprofundis* non bisogna pagarli più di quel che valgono. Io rappresento il Re, io vi amministro e voi non mi date stipendio. Il prete rappresenta Dio che ha detto: il mio regno non è di questo mondo: con qual diritto il prete usurpa i terreni che non coltiva? Verrà tempo che gli daremo cento lire all'anno come all'inserviente....

— E i poveri? domandò una voce fioca e tremula.

— I poveri, ribattè il sindaco stizzoso, i poveri... lavorino; vi dico che cento lire basteranno e saranno d'avanzo per farci battezzare e sotterrare Intanto, sinché non si fa la legge buona, cominciamo a levare gli abusi Questo che abbiamo per le mani è uno. Noi abbiamo deciso di fare la strada al Fontanile per la Carbonaia: avete inteso che l'Intendente ha approvato il *deliberato*. So bene che c'è stato qualche semplicione a cui la volpe nera ha saputo inspirare degli scrupoli. Essi hanno protestato. Perchè hanno protestato? Ma! Hanno saputo addurre una sola ragione? Ah che! fandonie, scrupoli di mia nonna; c'è voluto un bel coraggio per mandare quegli spropositi a Zugliano, un bel coraggio! E cosa ci hanno ricavato? un bel fiasco fesso. Chissà cosa credevano di fare scrivendo all'Intendente. L'Intendente non ha nemmeno voluto occuparsene. Avete visto, ha mandato il ricorso a noi, perchè noi lo mettiamo nella carta straccia. Gli è ciò che faremo subito.

Segretario, scrivete che il Consiglio « in odio ai reclamanti delibera » che?

L'ultimo monosillabo del signor De Boni era motivato da una osservazione del segretario Intesi la sua voce, divenuta dolcereccia e untuosa a dire:

— Che il sor sindaco mi compatisca: ma la espressione non s'usa ..

— E cosa si ha da mettere?

— Si scrive « reiette tutte le opposizioni, eccezioni, e deduzioni in contrario delibera ecc. . ecc... »

E s'affrettò a soggiungere:

— È poi in sostanza la stessa cosa.

— Uff! sclamò il sindaco, mettete un po' quel che diavolo volete; l'uno o l'altro sgorbio per me è lo stesso, — fate il vostro mestiere. Noi dicevamo delibera di mantenere in tutto e per tutto il suo primo deliberato e abilita la Giunta di andare al possesso del terreno detto la Carbonaia e di ridurlo allo scopo... allo scopo... in conclusione allo scopo che abbiamo detto...

— Sopra descritto, suggerì il segretario.

— Bene, avete finito? date qui che firmo subito.

A questo punto vi fu una nuova interruzione.

Intesi un mormorio confuso, poi, dopo una pausa, il sindaco a domandare aspramente

— Che c'è di nuovo? Qualcuno ci trova a ridire?

La voce che aveva parlato per la prima ancora più tremula e più fioca rispose:

— Ma, con buona licenza del sor sindaco, se mi si desse retta a me...

— Fuori, fuori queste ragioni, avete delle altre opposizioni da mettere insieme alle prime? Parlate chiaro.

— Mi perdoni il sor sindaco, ce n'ho... almeno mi pare che siccome la stagione è avanzata e per la strada del Fontanile adesso non ci sono fondi in bilancio, si potrebbe anche aspettare a dare un disgusto al sor curato .

— È lui che vi manda?

— Io dico il mio parere.

— Già già .. ma lo sappiamo; vi conosciamo da un pezzo, — e credete che c'importi molto il vostro parere ?

Il segretario entrò in mezzo con una proposta insidiosa.

— Se Leonardo ha delle opposizioni da fare le formuli. io le scrivo...

— Sicuro le formuli, senza indugio, che noi non siamo qui per suo comodo, le formuli. — ripetè in tuono sardonico il Sindaco.

— Io non me n'intendo...

— Eppure bisogna intendersene, aggiunse il segretario.

— Andiamo andiamo. date qua, che firmi, replicò il Sindaco... egli non ha che delle minchionerie...

— È una prepotenza. sclamò Leonardo.

— Come? badiamo ve' alle parole, gridò il sindaco.

— Oh la verità innanzi a tutto, disse più forte il coraggioso consigliere; sono vecchio e non ho più paura di nulla, — e vi dico che sono prepotenze. Io so che il paese ha molte obbligazioni a Don Luigi che ci ha sempre fatto del bene a tutti...

Mentre il sindaco parlava io avevo a stento frenato la voglia di dargli sulla voce. La protesta di Leonardo aveva suscitato tutte le mie simpatie, — io avevo seguito le sue parole con tutto il cuore. A questo punto non potei contenermi e gridai forte:

— Bravo, così va detto

Figuratevi l'effetto di questa audacia maudita

Seguì un cupo brontolio. Poi il sindaco si affacciò alla finestra Era livido di collera.

— Che intende dire lei? mi domandò

— Che Leonardo ha ragione, risposi ridendo.

Il sindaco mi diè un'occhiata furiosa. Ma tacque. Il che dimostra che nonostante la sua riputazione di brutalità egli sapeva all'uopo anche essere prudente.

Si ritirò e l'adunanza si sciolse.

Il signor Bazzetta venne a riprendermi e mi chiese celiando per qual ghiribizzo avevo voluto contraddire il sindaco. Egli non sembrava malcontento della scenetta e mostrò un ingenuo rammarico che non avesse avuto altro seguito. Però si compiacque di avvertirmi con quel suo favorito fare misterioso di guardarmi dalla collera del signor Deboni.

Visto che non riusciva per tal guisa al desiderato intento di impaurirmi mutò discorso e soggiunse

— Vedete che Don Luigi fa male ad incaponirsi a quel modo; abbia torto o ragione, la maggioranza non è per lui. Avete inteso, benedetto uomo, una perla d'uomo, lo ammetto; sono il primo a riconoscerlo, — ma caparbio, caparbio, — e per un uomo di chiesa non è conveniente.

Non mi sentivo in vena di discutere e non volevo d'altra parte sentir maldicenze sul conto del mio ospite. Perciò mi sbrigai del molesto compagno senza troppe cerimonie e me ne tornai al Presbiterio dove, per colpa della mia distrazione, il riso s'era fatto *lungo*.

Dacchè egli entrò in casa del curato, Aminta ed io divenimmo compagni inseparabili. I nostri due caratteri erano l'antitesi l'un dell'altro : per questo andammo subito d'accordo. Egli trovava in me quello slancio e quell'arditezza che è l'inarrivabile ideale di tutte le indoli eccessivamente timide. Io mi acconciavo perfettamente del suo naturale buono, malleabile, della sua mente docile a tutte le mie fantasie. In tutte le amicizie vere e durature c'è sempre una volontà da una parte e una condiscendenza dall'altra. Non fo per dire. anzi lo ricordo ad onore dell'affetto di Aminta. la volontà che prevaleva era la mia

Don Luigi s'era accorto dell'influenza che io esercitava sopra il giovanotto, e, fin dai primi giorni, dandomi mezzo per celia, e mezzo sul serio, il vanto di un conquistatore di simpatie, aggiunse :

— Voi potete renderci un grande servizio. Aminta è in età da dover scegliere definitivamente il suo sentiero per tutta la vita. Ora io temo la sua eccessiva arrendevolezza. Non vorrei che la riverenza o l'affezione che quel buon ragazzo mi porta. reprimesse, in cosa di tanta importanza, le vere inclinazioni del suo spirito, che egli mi facesse l'inutile e deplorevole sagrificio di tutta la sua esistenza. Credete voi che Aminta abbracci volentieri la carriera ecclesiastica ?

Risposi schietto :

— Non credo.

Don Luigi non solo non mostrò rammarico ; ma parve invece rasserenarsi.

— Ma, poverino, nessuno qui vuol fargli violenza, sclamò con una adorabile tenerezza.

— Scandagliatelo voi per bene, disse poi, senza ch'egli s'avveda e sospetti che voi lo facciate per mio suggerimento So che siete buon osservatore. E se scoprite la menoma ripugnanza a proseguire nella

carriera. intrapresa per volontà altrui, rassicuratelo
pure, rincuoratelo a manifestarmi i suoi desideri,
— e se ci sarà possibile. farò di tutto per conten-
tarli — Non vi faccia stupore il sentirmi così poco
zelante nel procacciare proseliti alla chiesa militante.
Nelle circostanze presenti io credo ch'essa abbia
d'uopo piuttosto di soldati volonterosi che di un eser-
cito sterminato. I tiepidi sono nella battaglia inciampo
agli altri.

Accettai l'incarico e mi posi senz'altro all'opera.

Dal suo canto Aminta mi facilitò il compito con
la sua piena confidenza, e col suo candore ammirabile.

Egli mordette meravigliosamente a tutte le sedu-
zioni che io, Satana tentatore, dal Tabor della mia
fantasia, seppi fargli balenare innanzi alla mente
abbagliata.

Egli trovò che tutte le gioie della vita erano una
ad una preferibili all'alto onore di divenire ministro
di Dio

E non era solo vaghezza giovanile la sua, fascino
improvviso e momentaneo. No; c'era in fondo in fondo
al suo carattere qualcosa di irregolare. di esuberante
che si può talvolta frenare, non mai sopprimere.

Sorpresi sotto l'epidermide della sua timidezza
quel germe fatale di malinconia da cui sbocciano le
passioni violente.

E non già ch'egli fosse corrotto: tutt'altro; non
oso dire ch'egli fosse innocente se innocente è sino-
nimo d'ignoranza; — ma era certamente virtuoso.
In altri termini egli lasciava il freno sul collo alla
immaginazione, ma stringeva con un morso di ferro
le proprie azioni. Era poi estremamente scrupoloso...
A diciotto anni egli serbava fede alla corta morale

insegnatagli da Mansueta, povera sempliciona, indole tranquilla che era passata dall'infanzia alla vecchiaia senza fermarsi un istante nella giovinezza.

Io lo condussi mano mano a raccontarmi tutte le sue battaglie, tutte le discipline con cui da parecchi anni puntellava la sua continenza.

· Destinato all'altare, egli sentiva l'obbligo d'esserne degno a qualunque costo. — Non capiva che ci potesse essere dei sacerdoti dissoluti. E non aveva mai pensato nello scabroso adempimento dei suoi doveri a una cosa molto più facile, — quella di emanciparsene.

Fui io a fargli intravedere questa possibilità.

La sua gioventù vi si abbrancò subito tenacemente.

Mi ricordo di quando affrontai con lui il dilicato argomento dell'amore. Tremava dalla commozione.

Per Aminta non esistevano donne, — ma bensì la donna, un essere collettivo, universale come il sole.

Un sensualismo elevato a misticismo, per cui, negli anni della nostra adolescenza, tutti siamo passati e da cui la conoscenza della vita reale ci è venuto a levare.

Ma Aminta non s'era mai trovato vicino a donne.

Io lo avevo sorpreso colle confessioni di Rousseau, il più pericoloso ed il più corrotto dei moralisti: ma era allora tutt'altro che sicuro di ciò che leggeva in quel libro.

Non poteva persuadersi che non fosse favola.

E anche in questo sono stato io il primo ad illuminarlo.

In breve dovetti accorgermi che invece di scandagliarlo l'avevo, come direbbe una bacchettona, pervertito.

12

Un giorno feci la prova di dirgli ;
— Quando si torna in seminario ?
Aveste visto il suo sgomento! Come diventò smorto!
Si strinse al mio braccio e mormorò :
— O Emilio, che cosa terribile rientrare in quel carcere!
Stetti qualche minuto ad osservarlo, poi gli dissi :
— Non vuoi andarci più ? vuoi che io ne parli a don Luigi ?
Mi saltò al collo e mi baciò con tanta effusione di riconoscenza che mi commosse fino in fondo alle viscere.
— Credi che consentirà ? mi domandò rannuvolandosi di nuovo.
— Lo spero, risposi, per lasciare al buon curato intero il merito di dargli la grande novella.
— Quando ne parlerai ?
— Oggi stesso...
— No, oggi no : domani, ma che non ci sia io.
Promisi di contentarlo.
Ma quella stessa sera riferii al curato il tenore di quel nostro colloquio.
Il buon prete mi strinse con effusione la mano e mi ringraziò così vivamente del servizio resogli che a dir il vero ne arrossivo un poco. Mi pareva disdicevole che il Signore ringraziasse Mefistofele d'avergli sedotto il suo Fausto.
Ma come, ripensandoci poi, dovetti ammirare la profonda rettitudine, l'alta carità di quell'animo superiore!
Era una mente troppo vasta per capire nello strettoio del fanatismo; egli vedeva le cose dall'alto e da lontano. Per lui la fede e l'abnegazione non era pas-

siva obbedienza, — ma elezione volontaria: e tale
la voleva negli altri.

Aveva una frase sua per condannare le professioni
forzate.

Diceva: — l'olio di mallo va tutto in fumo.

Egli aggiunse quella sera queste confidenti parole:

— Io ho scelto volontieri questo mio stato: era
il solo che si confacesse al mio carattere: l'ho abbracciato con trasporto come una tavola di salvezza
per il mio spirito saturo del mondo.... Eppure....
quanti errori non ho commessi!...

Era la seconda volta che mi parlava di sè e sempre
per accusarsi!

— Noi abbiamo forse evitato molte disgrazie, mi
disse poi.

Noi si faceva questi discorsi passeggiando sotto il
pergolato in attesa della cena.

In uno dei tanti giri che facemmo, svoltando rapidamente levai a caso lo sguardo ad un finestrello
mezzo nascosto nel fogliame di un melo tirato a
spalliera: e mi parve di scorgervi una figura che si
ritraesse frettolosa nell'ombra.

Quel finestrello illuminava un corridoio che dalla
sacrestia metteva all'appartamento di don Sebastiano.

Mi venne il sospetto che il cupo vicecurato ci
stesse ascoltando.

E lo dissi a don Luigi.

Si rabbuiò un momento; poi, data una crollatina
di spalle:

— Non monta, sclamò; in fin dei conti non facciamo nulla di male.

Ciò era vero; ma i suoi sentimenti elevati, puris-
simi potevano essergli imputati a colpa da animi
piccini.

E. in ogni caso, egli si fidava troppo. Ci era là chi poteva dargli di grandi molestie, come si vedrà in seguito.

Don Luigi era tanto contento quella sera, che non si diè pensiero di questo piccolo incidente e continuò il discorso.

Mi scordai di riferirgli la promessa data ad Aminta. Però egli mi tradì subito involontariamente.

Non sì tosto, rientrando in casa, ci imbattemmo nel giovinotto, gli corse incontro, lo prese sottobraccio e avviandosi verso lo studio, gli spiattellò senz'altro quanto sapeva sul conto suo, e si affrettò a rassicurarlo dichiarando che, essendosi incaricato del suo avvenire, non solo non intendeva fargli violenza, ma sentiva l'obbligo di aiutarlo a cercare una carriera che fosse interamente di suo genio.

Infine Aminta mi fu riconoscente di avere precipitata questa spiegazione tanto temuta e così insperatamente gradevole.

Dapprincipio il poveretto non osava quasi credere alle proprie orecchie: poi rimaneva interdetto: provava una terribile soggezione del suo successo.

Passammo una gioconda, una deliziosa serata.

Si fecero i più lieti pronostici e i più vari disegni per l'avvenire di Aminta.

Anche Mansueta fu chiamata a intervenire nella conversazione. Ella, a dir il vero, ci teneva moltissimo alla ordinazione del nipote. La povera vecchierella non conosceva nel mondo nulla di più augusto che il rocchetto sacerdotale. Per lei i gradi ecclesiastici erano le anella di una catena che legava il mondo al paradiso e doveva finire in mano a Dio addirittura. Ma l'autorevole parere di don Luigi bastava a dissipare tutti i suoi scrupoli.

Alla fine si risolvette che non si risolverebbe nulla prima di sentire anche il dottor De Emma.

Chiarite così le cose, la vita al Presbiterio si fece più intima e confidente. Io, come intermediario, partecipavo alla gioia comune.

V'era però una nube in tanta serenità, una nube minacciosa di arcane tempeste: il contegno di don Sebastiano.

Era divenuto più molesto che mai nella nostra piccola comunione d'anime. Diveniva ogni dì più arcigno ed asciutto. Io che solo avevo il diritto di infischiarmene, gli avevo posto nome don Incubo, — ma m'inquietavo pei miei amici.

Il vicecurato con don Luigi e con me non parlava mai neppure indirettamente di Aminta.

Però era certo ch'egli era informato di ciò che succedeva.

Mansueta ci aveva riferite alcune buie parole dette da colui riguardo al nipote, dalle quali si arguiva ch'egli disapprovava vivamente il progettato mutamento

Ma non badavamo troppo a lui.

Uno di quei giorni venne il dottor De Emma, espressamente invitato da don Luigi, e si tenne al Presbiterio una specie di consiglio di famiglia al quale presi parte con voto consultivo.

Il dottore si mostrò più impensierito che non avrei supposto della guerra dichiarata al sindaco per causa di Aminta. Fui non poco sorpreso allora delle sue visibili apprensioni, la cui causa rimaneva per me un mistero.

Non potevo persuadermi che un uomo di posizione e di carattere tanto superiore e tanto indipendente si desse fastidio della malignità di un sindaco montanaro

Nè questa fu la sola stranezza che venne in quel colloquio ad eccitare la mia curiosità.

Il signor De Emma non biasimò tuttavia l'appoggio dato ad Aminta e anzi riconobbe la necessità imprescindibile oramai di provvedere alla sua sorte e diede tutta la sua approvazione al progetto di fargli mutar professione.

Per questo la sua scienza materialista si trovò mirabilmente d'accordo con la carità evangelica del buon prete.

Ma quando si venne ad avvisare i nuovi disegni di educazione, le sue perplessità rinacquero.

Don Luigi accennò ai pericoli a cui il giovinetto sarebbesi trovato esposto nella nuova sua condizione e si mostrò desioso di mettere la propria responsabilità al coperto di qualsiasi probabile insuccesso.

— Se col desiderio di giovargli non riuscissimo che a fargli il male, disse, sarebbe imperdonabile Se potessi seguirlo, proteggerlo, io son certo che il mio affetto supplirebbe alla esperienza che mi manca, ma cosa posso fare io di qua!....

E si interruppe coll'esitanza di chi vuol essere capito a mezze parole.

Il signor di Emma tentennò più volte il capo poi, dopo una pausa discretamente lunga:

— Mio caro, vi parlerò francamente. Vi assicuro che sarei felicissimo di far io da guida ad Aminta nei suoi primi passi nel mondo; ma non posso direttamente interessarmi per lui senza mettere di nuovo a repentaglio la pace della mia casa. Quella donna benedetta si torturerebbe con chissà quali supposizioni ...

— Avete ragione. mormorò il curato chinando la testa.

Non si toccò più il tasto delicato. Non riuscii a decifrare il senso di quelle parole: solo mi parve d'intendere che « quella donna benedetta » fosse la signora De Emma.

Ma qual era la causa delle sue diffidenze rispetto ad Aminta ?

Qui stava il nodo della quistione.

Alcuni giorni dopo credetti, per una fortuita circostanza, di essere sulla via di risolverla.

La bella stagione è breve a Sulzena : sono poco più di tre mesi, dal primo fieno, in giugno, alla bacchiatura delle noci in settembre.

Questo è l'ultimo raccolto e precede solo di poco il ritorno delle mandre dall'alpe.

Alcuni giorni dopo scende da tutti i sentieri della montagna un malinconico concerto di squilli : si direbbe che si suoni a stormo contro il gran nemico, l'inverno.

Poi succede un vasto silenzio; il gorgoglio del torrente si fa più cupo, più roco. le vette vicine si mettono il cappuccio grigio : — e vien giù un'acqueruggiola diacciata che spicca dagli alberi l'ultime foglie, gli ultimi boccioli dischiusi alla fallace lusinga di un estremo sorriso di sole estivo.

Qualche turchiniccia falda di fumo che si solleva quietamente è il solo segnale di vita che resti in quel morto paesaggio.

Il mio ospite non aveva voluto consentire ch'io partissi e. veramente, era riuscito a trattenermi senza troppa fatica. Desideravo tanto di conoscere la vita montagnola nell'inverno : non potevo augu-

rarmi occasione migliore di soddisfare il mio capriccio.

Poi ci avevo preso gusto a tutto quello strano vi-
luppo di casi in cui mi ero imbattuto. Mi pareva di
partecipare a uno di quei fantastici romanzi tedeschi
sul fare del *Wilhelm Meister*, dove i più gravi
avvenimenti si succedono e si accumulano sotto le
apparenze di una quiete profonda. E lasciavo che
giorno per giorno si accumulassero nella mia mente
queste memorie con una delizia che dispero di trasfondere nell'animo dell'amico lettore (seppure ho
dei lettori). Ohimè i sentimenti che allora provavo
così intensi, stesi sulla carta si mutano in vecchio
e gelido convenzionalismo ! Gli è che in molte cose
si sente tutti ad un modo.

Il cattivo tempo mi aveva costretto ad interrompere i miei studi dal vero.

Passavo le ore a discorrere con quei di casa oppure nella mia stanza, davanti alla finestra a guar-
dare giù distrattamente in fondo alla valle dove.
talvolta squarciandosi la densa cortina di vapori
che chiudeva l'orizzonte. vedevo le campagne lontane dipinte a mille colori dal raggio del sole au-
tunnale.

Finalmente s'era deciso che Aminta sarebbe entrato al liceo e don Luigi aveva pensato di collo-
carlo presso un professore di Novara suo conoscente,
perchè lo preparasse all'esame di ammessione Il
tempo stringeva; e dovetti, con vivo rammarico.
separarmi dal mio novello amico.

Il curato lo condusse egli stesso al suo posto. Par-
tirono una mattina verso la metà di settembre.

Io, schivo di prolungare la tortura delle separa-
zioni, preferii salutarlo e rimanere a Sulzena.

Piovve tutto quel giorno.

Per ingannare il tempo mi diedi a frugare nello studio e sfogliare gli antichi registri della parrocchia.

Le generazioni di Sulzena sfilarono davanti a me: — poche stirpi che si riproducono e moltiplicano attraverso i secoli sullo stesso ceppo come gli abeti delle loro montagne. Sempre gli stessi cognomi coi nomi di battesimo che si ripetono alternati da nonno a nipote, per cui si direbbe che lo stesso uomo riapparisca a intervalli.

Alcuno scompare per sempre, non si sa se spento o emigrato, — tal altro riappare dopo un lungo tratto — come lo Strona.

Che misterioso fascino ho provato a ripassare quelle genealogie d'ignoti !

Passai molte ore in questa singolare rivista

Un accidente venne a distrarmene.

Levando uno dei volumi, ne avevo smosso una fila nella scanzia, che, ad un tratto rovinò a terra.

Nel chinarmi a raccoglierli, vidi che era caduta coi libri anche una scatola di latta e giaceva a terra scoperchiata e capovolta.

Conteneva dei ricordi: una fettuccia tricolore, una palla di fucile, un mazzolino di fiori appassiti, un piccolo volumetto di Tacito, stampato a Parigi nel 1665, logoro e spiegazzato agli angoli, — e finalmente un piccolo astuccio di velluto turchino sbiadito.

La coscienza mi avverti che stavo per commettere un abuso di confidenza e il mio primo pensiero fu di raccogliere quelle reliquie e di rinchiuderle senza guardarle. Ma fidatevi degli artisti: essi sono avvezzi a coonestare, col pretesto di studiare il mondo, le più indiscrete curiosità. Non potei resistere alla tentazione.

Apersi l'astuccio, e, immaginatevi la mia sorpresa, ci trovai il ritratto in miniatura di una ballerina nel suo costume di teatro

Era una figura di singolare bellezza, un visino diciottenne, delicato, pallido, assottigliato dal dolore o dalle infermità, un aria di bontà capricciosa, una soave fierezza di fanciulla viziata.

Una corona di rose bianche le cingeva il capo da cui scendevano lunghi riccioloni di capelli biondi: altre rose le inghirlandavano la vita sottile e ornavano il gonnellino azzurro.

Ella rassomigliava a qualcuno che io conosceva: ma non sapevo a chi.

Ero tanto assorto cogli occhi sul ritratto, a frugare nella mia memoria per evocare al confronto tutte le fisonomie femminili che avevo prima vedute, — che non mi accorsi della presenza di Mansueta, se non quando la sentii esclamare·

— Oh il ritratto di Rosilde che credevo avere perduto! Dove l'aveva cacciato?

Rosilde, la madre di Aminta! Diffatti ella aveva i suoi lineamenti.

— Vostra sorella era ballerina! domandai.

— N'è vero che disgrazia? sclamò la buona donna tentennando dolorosamente la testa.

E soggiunse:

— La poveretta non ce n'ebbe colpa· ma ha pur fatto una dura penitenza.

Si capiva dall'intonazione delle sue parole che ella voleva un gran bene alla sorella e che sentiva il bisogno di scagionarla di una cosa che a lei montanara e devota doveva parere una enormità: essere ballerina!

Ho notato che l'avversione per la gente da palco-scenico è maggiore nelle classi inferiori che non sia nelle superiori.

Un artista di teatro può lusingarsi di essere ricevuto a Corte, non sarà mai rispettato nella casupola di un campagnolo.

— Non credo, continuò Mansueta, che Rosilde fosse contenta di quel suo stato; l'aveva scelto a fine di bene... ma pur troppo, farina del diavolo va tutta in crusca.

— Com'è andata? domandai.

La donna era per lo meno tanto desiderosa di farmi le sue confidenze quanto io di ascoltarle.

STORIA DI ROSILDE

« Noi siamo di Castelletto sulla riva destra del Ticino

» Nostro padre faceva il pescatore, il barcaiuolo tra Sesto Calende e il nostro paese e un po', come tutti dalle nostre parti, il contrabbando di tabacco.

» Coi suoi guadagni stentava a mantenerci; la famiglia non era grande; ma non c'erano altri uomini; la mamma era da parecchi anni sempre ammalata, io avevo il mio da fare per assisterla e sbrigare le faccende di casa: mia sorella era una bambina.

» Noi eravamo molto poveri e molto disgraziati; certe volte d'inverno restavamo delle giornate intiere senza pane e senza fuoco.

» Con tutto ciò il povero papà era un uomo di buon umore: pigliava in santa pace le miserie che

Dio gli mandava e portava la sua croce senza tirar mai un lamento.

» Quando non faceva freddo. e c'era un po' di polenta in casa, e il male dava un po' di tregua alla mamma, egli diventava subito allegro e ci faceva ridere colle sue storielle e le sue barzellette.

» Egli andava matto per il suono e per il ballo Era stato soldato di Napoleone e musicante di reggimento: egli sonava il clarinetto in guisa da far stordire. Lo venivano a cercare da molte miglia lontano per tutte le sagre dei dintorni e non si faceva festa senza di lui; era conosciuto per questo da tutte le due parti del Ticino collo stranome di *suonalore*.

» In casa, tutte le ore che gli restavano, le dedicava alle sue arie. Nei molti paesi dov'era stato. in Francia, in Spagna nei paesi tedeschi, avea imparato molte maniere di balli, e la domenica, dopo vespero, ce ne insegnava qualcuno.

» Con me era fatica buttata: non ho mai saputo ballar bene una monferrina, poi non mi piaceva. Ma la Rosilde somigliava a lui in tutto ed anche nella sua passione imparava a meraviglia tutte le riverenze, e gli scambietti e le giravolte e il papà si sfaceva dalla contentezza a vederla. Poverino, se avesse potuto prevedere l'avvenire! Già il curato lo diceva che quel gran ballare doveva portarle disgrazia. Ed ha indovinato veh!

» Tutti ne facevano le meraviglie e correvano a guardarla quando saltellava davanti all'uscio di casa

» Una volta passò di là un gran signore. il marchese di Morzate, — stava a Milano e aveva qualche possesso vicino a Castelletto.

» Si fermò cogli altri e al fine della sonata si fece innanzi e regalò a mia sorella un pugno di monete d'argento.

» Da quel giorno in poi il marchese tutte le volte che capitava in paese non mancava mai di venirci a trovare, faceva ballare la Rosilde, la guardava a bocca aperta e le dava sempre qualche cosa.

» Era un brav'uomo, ma avrebbe potuto farci carità migliore.

» Malgrado la sua età avanzata era anche lui, come il babbo, caldo per la danza e anzi dirigeva e sopraintendeva la scuola di ballo di Milano.

» Cominciò col proporre a papà di collocarvi la Rosilde, poi insisteva sempre su questo progetto e diceva che ella avrebbe fatto fortuna e ci avrebbe potuti aiutare tutti.

» Ma il papà tenne duro e non volle mai acconsentire. Egli era lusingato dall'offerta, ma l'idea di separarsi dalla Rosilde, che era tutto il suo solazzo, gli ripugnava. Conosceva abbastanza il mondo per temere i pericoli. Rispondeva: — non bisogna mutare un piacere in professione.

» Dio lo benedica per le sue buone intenzioni e magari ce lo avesse lasciato più a lungo!

» Ma dovevano capitare tutte a noi.

» Ogni anno crescevano le nostre avversità.

» Le malattie della mamma si facevano sempre più gravi, e finalmente la resero paralitica di tutte e due le gambe.

»Ella era in questo stato da parecchi anni, quando il Signore volle inviarci la prova più terribile.

» Una notte di inverno, — una notte che pareva la fine del mondo, — il vento faceva traballare la nostra casuccia dalle fondamenta. Il papà, come spesso

accadeva, era fuori; io non potevo dormire, ero
inquieta più delle altre volte. Tutto ad un tratto in
un momento che il vento era queto intendemmo due
schioppettate dall'altra riva del fiume. Diedi un balzo
sul letto; Rosilde che dormiva con me mi si avvi-
ticchiò alla vita: tutte due avevamo un gran batti-
cuore. Anche la mamma si svegliò e disse: *libera
nos Domine* Pareva ce l'avessero detto. che quei
colpi erano diretti contro di noi!

» La mattina dopo, il fiume correva grosso e tor-
bido e noi due ritte sulla via tenendoci per mano
piangevamo dirottamente senza chiederci il perchè.
Il babbo non era tornato.

» Verso mezzodì due pescatori ci ricondussero la
nostra barca. L'avevano trovata fitta capovolta in
un banco di sabbia.

» La disgrazia oramai era certa.

» Diffatti seppimo quella stessa sera che avevamo
perduto il nostro povero padre. Sorpreso dai doga-
nieri austriaci mentre stava scaricando del tabacco,
aveva tentato di fuggire ed era riuscito a prendere
il largo. Ma essi gli avevano fatto fuoco addosso e
pur troppo le due fucilate da noi intese non avevano
fallito il segno...

» Mio caro signore, pensi un po' alla miseria in
cui ci trovammo. Oramai erano più i giorni di fame
che quegli altri. Io facevo qualcosa, quel poco che
potevo; aggiustavo reti, lavoravo in campagna, fi-
lavo, tutto ciò che mi si offriva, — ma ci voleva
altro! La povera mamma gemeva dì e notte che era
uno strazio a sentirla, — e non poterla soccorrere!.

» Come abbiamo potuto tirare innanzi non lo so:
se non siamo morti tutti e tre quell'anno gli è che
non era la nostra ora.

» L'estate seguente venne il marchese a Castelletto, chiese di noi e passò a trovarci.

» Egli parlò di nuovo della scuola di ballo per la Rosilde: disse che non bisognava farle perdere uno splendido avvenire; che ella poteva diventare la nostra Provvidenza, che intanto egli avrebbe pensato a lei ed anche alla mamma Insomma tanto fece, tanto promise che noi non si sapeva cosa rispondere.

» Tuttavia la mamma esitava a dir di sì.

» Rosilde allora saltò su a dire che voleva andare, e ci fè stupire colla fermezza della sua risoluzioue. Aveva poco più di dieci anni

» — Brava, esclamò il marchese tu hai più senno di tutti. Se tua mamma si ostina a dir di no, peggio per lei.

» Egli ci fece poi ripetere le sue offerte e le sue esortazioni dal sindaco e da altri signori del luogo tantochè la mamma si decise alla fine un po' per le ragioni che coloro le dicevano, e un po' per quelle che la miseria le suggeriva, di arrendersi.

» Rosilde andò quello stesso anno a Milano. Il buon marchese fu di parola, si adoperò per lei e cominciò a mandare una piccola pensione mensile.

» Passarono così cinque anni.

» Rosilde veniva l'estate a passare con noi qualche settimana.

» Ella si faceva grande e bella, — ma scommetterei che non era contenta. Appena arrivava a casa, smetteva i suoi abiti signorili per vestire più dimessamente alla nostra foggia: parlava poco e sempre malvolentieri della sua vita di Milano e si sarebbe detto che volesse dimenticarla e farla dimenticare. Poi ci pativa tanto a lasciarci. Non si lagnava, si-

mulava indifferenza. — ma di notte piangeva e io
trovavo l'indomani il guanciale bagnato dalle sue
lagrime.

» Ella non era nata per quel mestiere.

» Un'altra. che fosse stata di quella razza, al suo
posto si sarebbe leccate le dieci dita.

» Il marchese le voleva bene come ad una figliuola;
la faceva tenere come in uno scatolino, dentro alla
bambagia: avesse desiderato delle cose, egli non le
raccomandava che di chiederle. Preveniva tutti i suoi
capricci, anche quelli che non aveva

» Ma dopo cinque anni mancò improvvisamente.
Dopo la sua morte mia sorella venne a casa e ci
si disse che aveva risolto di cominciare la sua carriera libera, e che aveva già trovato una scrittura
per un teatro di Venezia

» Quella volta ci lasciò con minor rincrescimento,
e baciando la mamma le disse· allegra. che d'ora
innanzi non vivrai più di elemosina, ma di quello
che guadagnerò io

» Ma la mamma. dopo tanti anni di agonia mira-
colosa, chiuse gli occhi poco dopo, e Rosilde non
ebbe la consolazione di poterla soccorrere in nulla

» La povera fanciulla se ne accorò talmente che
cadde malata e, come seppi poi, corse pericolo di
morte.

» Io, rimasta sola, entrai al servizio d'una famiglia in Arona.

» Rosilde appena lo seppe venne a cercarmi e volle
a tutti i patti che andassi a stare con lei.

» Quest'atto di amorevolezza mi fu caro in quei
tristi momenti.

» Avevo quindici anni più di lei ed ero tutta contenta di farle da madre.

» Mi menò a Venezia, e, dopo qualche settimana a Trieste, dove le avevano fatta una scrittura molto grossa.

» Dapprincipio tutto andava come un arcolaio. Si viveva insieme, si stava bene, ci si consolava a vicenda, e si parlava de' nostri poveri morti.

« Ma pur troppo la nostra quiete non durò a lungo.

« La professione di Rosilde non è fatta per star tranquilla.

» Appena ella fu conosciuta, diventò di tutto il mondo meno che mia.

» Dapprincipio l'accompagnavo al teatro, l'aiutavo a vestirsi.

» Ma cominciò una processione di signori che venivano a farle complimenti e parlavano Dio sa come, — in presenza mia, non mi guardavano neanco come una serva, peggio come un cagnolino.

» La buona Rosilde ci pativa più di me e si dava una gran pena di avvertirli e di dire a tutti: questa è mia sorella e di farmi rispettare. Ma ogni volta s'era da capo. Io mi sentivo sempre più spostata in mezzo a quella confusione di insolenti, di facchini, di screanzati, di corde, di tele, di stracci, di lumi, di urli, di diavolerie d'ogni specie.

» Sicchè fu Rosilde stessa a consigliarmi di rimanere in casa. Ed io acconsentii di buon grado.

» Ma anche là cominciavano a venire seccatori a tutte le ore della notte e del giorno.

» Non potei trattenermi dal fare qualche osservazione a mia sorella; ed ella mi rispose con rincrescimento che non poteva metterli alla porta, e che s'usava così e che era una necessità del suo mestiere.

» — Ebbene, mi arrischiai a dire, pianta lì il mestiere e vieni via.

13

» — Eppoi? mi rispose, oramai non potrei adattarmi a fare delle privazioni e non so far altro che ballare. Questa è la mia vita, benchè non sia molto bella.

» Quanto a bella non l'era davvero; far della notte il giorno, mangiar quando gli altri dormono, andar a letto quando gli altri s'alzano e sempre la casa piena di gente, un andirivieni continuo. — oh che vitaccia. che vitaccia!

» Dopo due mesi già non ne poteva più. Ero afflitta, irritata: mi arrabbiavo. piangevo sempre. Mi pareva di essere in un ospedale di matti, e qualche volta peggio, all'inferno addirittura. Quell'abbondanza mi era uggiosa, ero disgustato di tutto, desideravo con tutto il cuore la povertà, le nostre afflizioni, la nostra casetta in cui almeno si poteva gemere in pace, pregar Dio, mentre là.....

» Ero sempre imbronciata con tutti e anche con la povera Rosilde, che, ne sono sicuro, si sarebbe fatta in pezzi per contentarmi. Ed io ero spesso cattiva con lei, la strapazzavo.

» Finalmente presi l'unica risoluzione che mi fosse concessa: tornare al mio paese.

» Mia sorella non oppose la menoma resistenza. non tentò neppure un minuto di distogliermi.

» Non già che non le rincrescesse. ma s'era accorta di quel che pativo e. come sempre. ella non pensò a sè stessa.

» Mi disse soltanto· va bene, fa come vuoi, — ma con una voce che mi straziò il cuore. Povera ragazza!.....

» Gli ultimi tre giorni che rimasi con lei non volle sentir parlare di teatro, si diede per indisposta, si chiuse in casa con me, mi colmò di tenerezze, di

premure; ricordò colle lagrime agli occhi, col più
vivo rammarico la nostra vita d'una volta a Castelletto. E non disse mai una parola per trattenermi.
Anzi l'ultimo dì sopraffatta dalla commozione e dal
dispiacere di lasciarla, essendomi mostrata disposta
a smettere il mio progetto mi buttò le braccia al
collo, posò la faccia sulla mia spalla e mi disse singhiozzando:

» — No, va, va, mia buona Mansueta.

» L'indomani mattina prima della mia partenza
mi voleva dar tutto il denaro che teneva, parecchie
centinaia di lire.

» Ma io non presi che quanto mi occorreva per
il viaggio.

» Non insistè: però mi accorsi che questo mio rifiuto le faceva pena più di tutto il resto.

» — Tu non vuoi accettar nulla da me, sclamò.

» E mi diè un'occhiata che mi penetrò fin nell'a-
nima.

» Avesse ella indovinato il mio pensiero? Lo devo
dire, quel suo denaro mi pareva guadagnato a sca-
pito della salute eterna.

» Mi accompagnò sino al battello. Oh come volentieri l'avrei menata via con me!

» E dopo come mi sono pentita di averla abbandonata così!

» Quando fui al paese, che avevo tanto desiderato,
tutto mi parve triste, insoffribile non pensavo che
a lei, non potevo consolarmi della sua lontananza.
Mi chiedevo ad ogni momento: cosa fa adesso? —
e mi pareva che avrei dovuto essere al suo fianco
per proteggerla, per assisterla.....

» La donna che mi aveva ospitato biasimava continuamente quel che avevo fatto. Ed io cominciava

sul serio a desiderare di ritornare un dì o l'altro
con Rosilde.

» Ma in quel turno ella mi annunziò che partiva per Londra.

» Alcuni giorni dopo una vecchia signora di Arona
mi collocò presso Don Luigi. suo nipote. il quale
da poco erasi qui fissato.

» Fu una vera fortuna per me. non potevo augurarmi un posto migliore In confronto di quanto
avevo provato mi pareva un paradiso

» Solo mi angustiava il pensiero di Rosilde.

» Da principio ella mi scriveva spesso delle lunghe
lettere. in cui parlava di me e del nostro paese.

» Di sè, della sua condizione, — mai una parola.

» Seppi da uno di Zugliano che tornava dall'Inghilterra che ella aveva là incontrato, che tutti parlavano bene di lei.....

» Ma le sue lettere erano piene di malinconie.

» Poi tutto ad un tratto cessarono.

» Per molti mesi non ebbi più notizie di lei. Le
feci scrivere da Don Luigi parecchie volte, non ebbi
risposta.

» Una sera, erano quasi tre anni che ci eravamo
lasciate a Trieste, l'inserviente comunale mi venne
a dire che mi recassi appena avessi potuto a Zugliano
in casa di certo dottor de Emma, giunto colà in
quei giorni, dove c'era una signora la quale desiderava parlarmi.

» Ci andai l'indomani stesso· trovai presto la casa
del signor de Emma di cui tutti facevano un gran
parlare. E quale non fu la mia sorpresa appena entrato di trovarmi fra le braccia della mia Rosilde
che piangeva, rideva e mi baciava tutt'insieme.

» Ma, Vergine benedetta, com'era ridotta! Scarna, patita! bianca come una statua.

» Mi disse che aveva fatto una gran malattia, che ora stava meglio e che i signori De Emma avevano voluto condurla con loro perchè potesse ristabilirsi.

» Il dottor De Emma, lei lo conosce, aveva sposato un'inglese pochi mesi prima. Li conobbi tutte due, furono cortesi con me e m'invitarono a recarmi spesso da loro a trovar la sorella.

» Ci andava tutte le settimane il giorno del mercato.

» Rosilde era sempre infermiccia, anzi in capo a qualche mese mi parve che peggiorasse. Avrei giurato che avesse dei dispiaceri. Notai che la signora De Emma aveva cambiato con lei; era garbata, ma fredda e come diffidente. Anche il dottore era molto più riservato di prima.

» Da Rosilde non si poteva cavar nulla. Soltanto si mostrava più impaziente di guarire, e di riacquistare le forze. Le quali pur troppo non venivano.

» Mi diceva:

» — Bisogna che mi aggiusti.

» Ma non spiegava le sue intenzioni, quel che volesse fare, forse non lo sapeva nemmanco lei. Non parlava mai del suo mestiere.

» Passò così l'inverno.

» Una sera tardi, del mese d'aprile, io stavo poco bene ed ero già in letto: Don Luigi era fuori. Sento bussare alla porta di strada. Mi vesto, corro ad aprire. E trovo Rosilde in uno stato da far pietà che appena poteva reggersi in piedi. Aveva trovato uno del paese e s'era fatta accompagnar da lui.

» Mi dice:

» — Ti conterò poi; intanto dammi, se puoi, ricovero per questa notte.

» — Ma che t'è accaduto? domando.

» — Nulla!

» — Che t'han fatto?

» — Nulla, sono stanca.

» La misi in letto · e ci rimase una settimana con una febbre spaventevole.

» Dopo migliorò, e potè alzarsi. Era anche abbastanza serena di mente.

» Ma non volle mai dire il perchè avesse lasciato così precipitosamente la casa De Emma. Tuttociò ch'io seppi da lei fu ch'ella non voleva essere di peso a quei signori, di cui però parlava di rado ma sempre con grande rispetto.

» Una cosa mi fe' meraviglia

I signori De Emma non mandavano mai a chiedere di lei. Seppi però che il dottore s'informava indirettamente da gente del paese della sua salute.

» Io però avevo subito capito che la causa di tutto era la signora e che il dottore era costretto a usar dei riguardi per non farle dispiacere.

» Col progredire della buona stagione mia sorella si riebbe perfettamente

» Scomparvero affatto anche quelle infermità che aveva portato dall'Inghilterra. Ridiventò forte, bella come da molti anni non l'aveva più veduta.

» Fiorivano le rose nell'orto e rifiorivano anche le sue guancie.

» Povera ragazza, non aveva ancora vent'anni: era ben giusto che paresse giovane!

» Nei momenti di buon umore era tutto il babbo; allegra, vispa, una vera faina.

» Scorrazzava come lei ora per la montagna.

» Soltanto qualche volta mi diceva:

» — Oh se potessi restar sempre qui con te.

» Io non sapevo risponderle, perchè malgrado le buone intenzioni del padrone, capivo che Rosilde non poteva dimorare a lungo in questa casa.

» Il pensiero di dovermi separare nuovamente da lei mi accorava: si viveva così bene insieme: non potevo rassegnarmi a vederla riprender quel suo diabolico mestiere.

» Ella non ne parlava mai: pure cosa avrebbe dovuto fare? la serva come me, essa allevata in tanta delicatezza?

» Mulinavo dì e notte per aggiustarla in qualche modo. Ma, fra me e me, a lei non dicevo mai nulla.

» E per circa tre mesi ella non pareva accorgersi dei miei fastidi, e non si dava punto pensiero dell'avvenire, proprio come nostro padre buon'anima.

» Cantava tutto il dì come un passero, era una consolazione a sentirla, tanto che delle volte'mi attaccava il suo buon umore e vergognandomi de' miei dubbi, dicevo fra me:

» — La Provvidenza penserà lei alla povera Rosilde.

» Non so perchè cambiò tutto ad un tratto.

» Una mattina entro nella sua stanza e la trovo seduta sulla sponda del letto, col viso tutto sconvolto, pallida come un cadavere che piangeva dirottamente.

» Gli feci mille domande, non mi disse altro se non che non si sentiva bene.

» Poi, dopo il primo momento, si ricompose e fe' di tutto per dissipare le mie inquietudini. Mi assicurò che l'era passato, che stava bene, ma vedevo che non era vero. Per quanto si sforzasse, non riusciva a celarmi una grande tristezza che la opprimeva.

» Per quattro giorni io la vidi abbuiarsi sempre più, — e al quinto scomparve senza dir nulla

» Eravamo alla metà d'agosto, al dì dell'Assunta.

» Non venne al vespro in chiesa dove aveva promesso di raggiungermi.

» Entrando in casa non la trovai più e m'accorsi ch'ella aveva portato con sè alcune delle sue vesti.

» Ne chiesi ai vicini se nessuno l'aveva veduta ma dopo molte ricerche notai che la porticina dell'orto era aperta Rosilde era senza dubbio discesa nella valle per di là.

» La cercammo dappertutto: andai io fino a Castelletto. Non potei venir in chiaro di nulla.

» Don Luigi ne fu afflitto quanto me.

» Non potemmo saper nulla più fino al marzo successivo una domenica che capitò qui il signor De Emma a pregarmi di seguirlo fino ad un cascinale presso Zughano, dove Rosilde era a letto malata gravemente.

» Il dottor era un antico amico di Don Luigi e, dopo la partenza di Rosilde, veniva sovente a trovarlo.

» Le avevo parlato tante volte di mia sorella, ma egli non mi aveva mai detto di sapere dove fosse.

» Eppure io sono convinta che conosceva da parecchio tempo la sua dimora. E dev'essere stato lei a pregarlo di avvertirci.

» La poveretta si vergognava di una disgrazia che l'era accaduta

» Andai col dottore e giunsi con lui a una catapecchia miserabile in mezzo alla campagna dove trovai la mia sventurata sorella disfatta in modo da far compassione alle pietre.

» Aveva avuto un figlio il giorno prima, — ed era così mal ridotta dalla sua antica infermità al cuore, che l'era tornata con maggior forza, e dagli strapazzi d'ogni maniera sofferti che, come mi avvertì una vecchia che l'assisteva, correva serio pericolo.

» Quando la povera cristiana mi vide vicino al suo letto mi buttò le braccia al collo e pianse per quasi un'ora di seguito.

» Appena potè parlare, mi contò la sua triste storia.

» Seppi allora che tutto il male veniva dal signor De Boni.

» Questo poco di buono l'aveva incontrata a Zugliano, dove allora egli andava spesso a trovare suo padre. L'aveva inutilmente perseguitata in tutti i modi.

» Le sue molestie avevano continuato anche quando ella era venuta a star qui con me; ed ella era per un pezzo riuscita a tenerlo al dovere.

» Ma alla fine quel demonio era venuto a capo dei suoi infernali disegni e da sette mesi la torturava. Non so per quale malefizio colui aveva potuto imporsi alla volontà di mia sorella.

» Mi narrò queste cose singhiozzando per il dolore e per la vergogna, e finì col supplicarmi di compatirla.

» Si figuri un po': non potei far altro che piangere con lei.

» Mi sedetti al suo capezzale, e per tre giorni e tre notti non staccai gli occhi da quel suo volto distrutto, pregando il Signore di non togliermela così presto.

» Egli non ha voluto esaudirmi.

» Io la vidi consumarsi come una candela.

» La terza notte si riscosse da un grave letargo in cui era caduta, mi prese la mano con forza, mi chiese di Don Luigi e mi manifestò il desiderio di vederlo.

» Il mio padrone era stato diverse volte a chieder notizie: ma il dottore non aveva mai permesso che egli entrasse nella camera di Rosilde.

» Ella mi pregò allora con tanta insistenza che non ardii ricusarle questo suo forse ultimo desiderio e appena giorno salii di corsa fin quassù e indussi il curato a venire con me dalla morente.

» Appressandosi alla cascina dove giaceva Rosilde intendemmo il suono di voci concitate.

» Nella camera di Rosilde c'era il signor De Boni, ed entrando lo udii che diceva:

» — Tu non vuoi darmele, ebbene le prenderò da me.

» E aggiungeva due o tre bestemmie spaventevoli

» Pareva un furioso scappato dall'ospedale: metteva tutto sossopra, rovistando entro i mobili come per cercarvi qualcosa che molto gli premesse di avere.

» E Rosilde invano cercava di distoglierlo dal suo violento proposito, e gridava e lo scongiurava.....

» La Provvidenza ci aveva mandati in buon punto.

» Al nostro arrivo Rosilde sorrise di gioia e arrovesciò il capo stanco sul guanciale ch' io credevo spirasse.

» Ma ella ritornò in sè; e stese la mano a Don Luigi mormorando grazie! siete venuto, siete buono!

» Poi dopo qualche momento si volse a me e indicandomi il signor Angelo che si rodeva in un cantuccio d'essere stato sorpreso in così bestiale furore, mi disse con un filo di voce interrotto dal rantolo:

» — Costui voleva togliermi delle carte che mi preme di mettere al sicuro. Prendi, sorella, eccoti la chiave di un cassetto che troverai in fondo all'armadio; aprilo e levane un involto che esso contiene.

» Obbedii.

» Rosilde soggiunse:

» — Conservale con cura, esse sono la fortuna della mia creaturina. Suo padre, là il signor Angelo, sarebbe capace di rinnegarlo ed è bene che tu possa provargli all'occasione i suoi doveri. Bada Mansueta di non lasciartele uscire di mano.

» Il signor De Boni mi guardava in guisa che pareva volesse mettere in pezzi me e le carte che tenevo in mano.

» Se non ci fosse stato presente Don Luigi credo non l'avrei passata troppo liscia.

» Ma colui è uomo che pensa sempre troppo bene ai casi suoi e sa sempre frenare il suo furore quando questo può essergli dannoso.

» Vedendo che non c'era da farla franca, diè una crollata di spalle ed uscì sagramentando da far traballare la casa.

» Con questa bella grazia egli piantò là quella povera martire che moriva per causa sua.

» Essa non lo trattenne.

» Quando fu uscito si rasserenò: trasse un lungo sospiro. E sorrise di nuovo.

» Ci fe' segno di sedere vicino al letto: ci prese le mani e ci guardava con grande tenerezza. Non poteva parlare. Era alla fine de' suoi patimenti.

» Di lì a poco sopraggiunse il dottore che fu spiacevolmente sorpreso di trovare colà don Luigi:

» Ma Rosilde chinò leggermente la testa e sussurrò a fior di labbra: — son io.....

» Poi nessuno parlò più

» L'agonia era cominciata. . »

Mentre Mansueta raccontava io aveva tenuto macchinalmente gli occhi fissi sul ritratto di Rosilde : e. man mano che la triste storia progrediva. quel volto bianco pareva animarsi sotto il mio sguardo: il sangue rifluiva nelle venuzze azzurre della fronte. le tempia pulsavano sotto l'impeto della passione. le pupille inquiete gittavano un'occhiata paurosa dietro le spalle. la vita esile affievolita abbrividiva. le labbra lasciavano fuggire un grido, un sospiro...

Egli è che non v'ha nulla di più vero, di più logico che il dolore, e non v'ha cemento d'anime più possente ed efficace di quello Perciò l'arte chiede ad esso così soventi le sue ispirazioni. perciò gli deve le sue più forti creazioni.

Se mi avessero narrata una vita venturosa. di gioie. di successi, quella creatura sarebbe rimasta un'estranea, una bella ignota. Invece mi si era detto : ella ha patito, ha pianto, — ebbene eravamo conoscenze vecchie.

Un uomo felice diventa decrepito centenario; è dimenticato prima che morto.

Un altro disgraziato muore giovane: il suo ricordo sopravvive spesso dei secoli.

Chi pensa a Matusalem, chi non ha pianto Abele ?

Dicevano i Greci: — chi muore giovane è caro agli Dei

Certo egli è carissimo agli uomini.

Quella giovane donna era scomparsa da vent'anni. Ebbene la sua figura spiccava ancora vivissima sullo sfondo del piccolo mondo ch'ella aveva attraversato tutte le figure del dramma misterioso che andavo svolgendo da due mesi erano rischiarate dallo strascico luminoso di quegli occhi malinconici.

Senza volerlo, fin dal primo giorno della mia dimora al Presbiterio, fin da quel primo colloquio con Aminta nel giardino, io cercavo lei attraverso i meandri delle vicende confidatemi. Finalmente la sua immagine m'era apparsa e mi s'imprimeva nella mente e mi riempiva l'animo di una lugubre, di una penosa amarezza.

Quel giorno cercai tutti i modi di distrarmi: e non potevano a tal uopo giovarmi i discorsi di Mansueta.

Scrissi prima di sera un mucchio considerevole di lettere; scrissi a della gente che sicuramente non ha mai potuto indovinare il vero motivo di quel mio insolito zelo epistolare.

Poi dopo cena fui felice d'aver qualcosa da ingannare la solitudine.

Uscii per ispedire la mia corrispondenza.

Aveva smesso di piovere, ma saliva dalla valle un alito denso, tepido di umidità. Una rossiccia aureola cingeva la punta accesa del mio sigaro

Il procaccio della posta era già a letto, e per quanto picchiassi non venni a capo di svegliarlo.

Stavo per tornare indietro quando la voce del signor Bazzetta si fè sentire dall'uscio socchiuso della vicina farmacia.

— Se avete lettere datele a me; le mie donne le consegneranno a Menico domattina prima che egli parta per Zugliano.

Accettai ringraziando e cercai le lettere per consegnarle.

Ma lo speziale sclamò:

— Per bacco favorisca dentro. al caldo, oh diamine!

E uscito fuori, mi prese il braccio e mi tirò nella
bottega, anzi nel piccolo camerino dov'ero stato
la prima volta. Mi fè sedere e volle assolutamente
che io assaggiassi ancora di quel tal suo vinettino

Uscì e tornò colle bottiglie e si diede a giocar di
cavaturaccioli, prima che io avessi avuto tempo di
aprir bocca sempre ripetendo ufficiosamente fra i
denti.

— Cospetto, cospetto, due ditini, due ditini.

Versò, poi disse:

— Già voi non sapete cosa fare del mio vino e
delle mie storie

Non risposi, egli continuò:

— Eppure avrei creduto, doveste essere curioso
di conoscere la storia di certi nostri amici. Suppongo
ch'essi non v'avranno detto nulla. La storia dell'abatino è interessante.....

— So, so... interruppi infastidito.

— Che sapete? mi chiese con un sorriso d'incredulità.

— Eh! sclamai, che grande secreto!

— Dite quel che sapete; ho paura che occorrano
delle rettifiche.

— Diamine chi non sa che il signor De Boni è...

— E che cosa?

— Il padre...

— .....putativo. aggiunse subito lo speziale col tono
più dolce della sua vocina insinuante.

Fè una smorfia, ammiccò cogli occhi e ripetè
sempre più piano;

— Putativo.. pu... ta... ti... vo. Eh !!

L'ultima esclamazione voleva dire: — vedete che
questo speziale può ancora insegnarvi qualcosa. signor prosuntuoso?

— Come?

— Per sapere il come bisogna riprendere quella tal storiellina proprio al punto dove l'abbiamo interrotta due mesi sono. È lunghettina. Vi avviso, volete sentirla? per me eccomi qua, — un bicchierino, — fumate vi prego, volete un fiammifero? ecco.

« Dicevamo che il signor De Emma aveva con sè due giovani donne: — una, sua moglie, — l'altra, italiana, vezzosissima, i cui rapporti colla famiglia rimanevano ignoti... allora... poi trapelò... Il timore di sentirmi ripetere ciò che avevo inteso di Mansueta mi spinse a tentennare il capo con impazienza.

— Sapete che era una ballerina, ricondotta in Italia dal dottore per guarirla dicono di una piccola malattia... sì... che rimase in sua casa alcuni mesi per.. anche questo?... ma i motivi per cui ella lasciò i suoi ospiti li conoscete, no? Fu per la gelosia invincibile della signora... la quale non aveva poi tutti i torti d'inquietarsi.

« Ma diciamo le cose per ordine. Il signor Angelo conobbe dunque la signorina per le cure che questa prestava a suo padre, se ne invaghì, ma per allora le sue maniere buone non incontrarono grazie agli occhi della Tersicore... i quali pur erano assorti altrove.....

» Alcuni mesi dopo, in seguito a una burrasca violenta, la signorina Rosilde abbandonò la casa De Emma e si rifugiò qui presso sua sorella Mansueta.

» Anche qui il signor Angelo l'incontrò qualche volta per istrada, e, naturalmente ostinato come è, egli insistè per ottenere il favore della silfide... che però era già staggito. Il povero De Boni arrivava sempre fuori tempo; ed anche allora dovette forbirsene i baffi ».

M'ero studiato di mostrarmi indifferente al racconto e di ascoltarlo con quell'aria di profonda indifferenza che non accetta e non rifiuta.

Ma egli era riuscito a cattivarsi la mia attenzione.
E a questo punto non potei trattenermi dal chiedere:

— E il preferito chi era?

— Chi era? rispose con un ghigno malizioso guardando al soffitto coll'apatia simulata di una pretesa
superiorità: — chi era? qui sta il punto.

Dichiaro che nel signor Bazzetta c'era la stoffa di
romanziere.

Conosceva e praticava per istinto tutti gli arti-
fizi della narrazione.

Egli proseguì:

— Una sera ero di guardia nella farmacia a Zugliano e discorrevo col dottor De Emma; capita una
vecchierella a spedire una ricetta rilasciata da una
empirica. notissima in quei dintorni, per le sue cure
d'ogni specie. La cosa era tutt'altro che regolare,
ma allora non si andava tanto per il sottile e la
medichessa aveva clientela troppo numerosa per po-
terle impunemente mancare di riguardo Per espressa
volonta del nostro principale noi si spedivano con
qualche cautela le sue ordinazioni.

« Questa volta però mi parve che le dosi fossero ec-
cessive e guardando meglio lo sgorbio della maliarda
mi accorsi che le cifre erano state alterate.

» Sospettai tosto di un qualche disegno delittuoso.
Quei medicinali potevano servire a certo effetto, che
il codice penale, tenero del biblico *moltiplicamini*
più che della galanteria, ha avuto la crudeltà di
proibire.

» Entrai nel salotto e mostrai senza dir nulla la cartolina al dottor De Emma: egli trasalì e mi avvidi che divideva il mio parere.

Dissi:

» — La mando a spasso.....

» E mi avviai per eseguire il proposito.

» Il dottore mi trattenne.

» — Datele un qualcosa d'innocuo: bisogna andar a fondo di questa faccenda; forse arriveremo in tempo di evitar una grossa disgrazia.

» Obbedii, e quando tornai nel salotto non ci trovai più il dottore. Era uscito per la porticina del cortile.

» Pensai ch'egli avesse tenuto dietro alla vecchierella, e mi domandai se anch'io non farei bene di imitarlo.

» Capirete, nella nostra professione, un po' di polizia non nuoce.

» Lasciai la serva del principale a guardar la farmacia e via di corsa.

» Non durai fatica a raggiungerli.

» C'era una luna splendida; la donniciuola trotterellava a stento contro il muro rischiarato:·il dottore la seguiva nell'ombra dall'altra parte della strada.

» Io dietro a loro, a una quindicina di passi.

» Attraversammo la città quant'è larga: la vecchia infilò il ponte della Gora, entrò nel sobborgo, svoltò in una viottola, a destra, che sbuca nei prati del castello, poi rasentò la lunga fila di catapecchie dove abitano lavandaie e finalmente si arrestò davanti a una piccola e lurida casupola a un solo piano.

» La facciata volta a settentrione rimaneva nell'ombra meno un piccolo finestrello all'altezza di un uomo, dai vetri quasi tutti fessi e rattoppati di carta bianca ma illuminata internamente.

14

» La vecchierella bussò leggermente all'uscio che fu subito aperto e si rinchiuse dietro a lei.

» Il dottore s'era fermato ed anch'io.

» Egli esitò qualche minuto poi lo vidi attraversare la strada ed accostarsi alla casa, si pose sotto la finestra e stette in ascolto.

» Dopo un quarto d'ora si riscosse come avesse preso una ardita risoluzione, si appressò alla porta, e picchiò colle nocche delle dita.

» Questa volta indugiarono nell'aprire.

» Finalmente il finestrello si rabbuiò e quasi subito nel vano dell'uscio socchiuso apparve la vecchierella da noi seguita che teneva un lume in mano.

» Il dottore scambiò con lei alcune parole che non intesi.

» La donna parve perplessa, lo guardava intimidita

» Ma, dopo qualche minuto, si tirò in disparte e lasciò passare il dottore.

» La porta fu di nuovo chiusa a giro di chiave.

» Allora venne la mia volta di appressarmi al finestrello: già ero venuto per qualche cosa.. —

Il signor Bazzetta mi guardò come per assicurarsi che io non avevo obbiezioni da fare contro l'assoluta convenienza del suo contegno, pronto, se mai, a confutarlo con un'intera batteria di argomenti

Io non battei palpebra.

Egli proseguì:

» — Mi trovavo dalla stessa parte della casa nell'ombra. Avanzai piano pianino rasente il muro e venni ad appostarmi.

» La posizione era sicurissima. Impossibile addirittura l'essere sorpreso. Rimpetto, il muro liscio ed alto della. canonica di S. Eustachio. Dalla parte dond'eravamo venuti la strada correva diritta per un

lunghissimo tratto senza risvolte e senza traverse:
per dippiù era selciato a pietre tanto grosse ed ineguali che si sarebbe inteso un passo lontano un mezzo
miglio. In fondo c'erano degli orti a quell'ora deserti.
Non potevo essere veduto che dalla casa che stavo
osservando. Ma pienamente tranquillo per tutto il
rimanente io ero libero di concentrare sovr'essa tutta
la mia attenzione. Al minimo segno era presto fatto:
due passi più in là svoltavo la cantonata e mi per-
devo fra la siepi di sambuco dell'ortaglie.

» Il lume era ritornato nella camera, ne vedevo il
suo rossiccio riflesso nella strada. Tesi l'orecchio.
Il dottore era entrato in quella camera che doveva
essere la cucina del povero appartamento. La finestra
stava socchiusa per la grande caldura. S'era in agosto
poco dopo la metà: una frasca del ferragosto erigeva
ancora il suo ispido pennacchio di pino sopra una
costruzione poco lontano.

» Distinguevo la voce del dottore, sebbene capissi
poco quel che diceva. Parlava in tuono di garbato
rimprovero, interrompendosi frequentemente. Nel-
l'intervallo udivo un singhiozzo sommesso, poi una
sottile, una delicata vocina da donna. Era certo l'in-
cognita dei miei sospetti.

» Ebbi... come si fa a non avere la tentazione di
guardar dentro? una di quelle tentazioni a cui non
si resiste. Una sola occhiata basterebbe. Mi appiatto
contro il muro, mi rizzo sulla punta degli stivaletti,
mi aggrappo al davanzale di pietra e caccio la mia
fronte fra due vasi, uno di basilico, e l'altro di re-
seda, profumi di tutta quella miserabile strada.

» E guardo e vedo la signorina Rosilde che aveva
visto spesso quando abitava dai De Emma.....

» Un baleno e compresi tutta la premura del dottore, il suo sgomento.

» Cercavo il bandolo di un segreto, ne scoprivo due,
anzi tre.. almeno mi parve.

Il dottore teneva una mano di lei nelle proprie:
ella accasciata, col viso basso, chino sulla spalla sinistra, tutto inzuppato di lagrime, — una addolo-
rata.... vergine prima del.. dopo del.. ecc., come dice
il catechismo. Non pensava a ritirar le sue mani

» Il signor De Emma non la sgridava più: sembrava
commosso, dovette farle coraggio

» Eh? che ne dite? »

Io non avevo nulla da dire.

» — E ritenete queste tre circostanze, riprese lo
speziale, ritenete che allora il signor De Boni dimorava ancora a Zugliano col padre, e che la signorina era stata quattro mesi qui, e, come seppi
dopo, non era ritornata in città che da un paio di
giorni, e finalmente che la loro relazione cominciò
dopo quella sera E pensare che poi gli han dato il
bastone bello e fiorito. Bel san Giuseppe davvero !
senza neanche la formalità dello Spirito Santo, ah !
ah ! »

Come rideva lo speziale, come si mostrava maligno !

— Però ho poi mangiato quella tal foglia! ma
tardi, tardi assai.... Ma vi annoio? »

Accennai di no nel modo meno aperto che io potessi.

— Ma sentite, ora viene il meglio della storiella
Il signor De Boni.... to' eccolo ».

L'uscio della farmacia sbattè con rumore. Il sindaco entrò nel salottino e, nel vedermi, non potè
dissimulare il suo malcontento.

Ma io non tardai a levargli la soggezione.

Mi alzai e presi congedo dal Bazzetta

XXIV.

Uscito nella via mi fermai per accendere il sigaro:
e, senza volerlo, intesi che il sindaco parlava di
me chiamandomi « lo scarabocchino ».

Non era un'ingiuria tanto atroce ch'io potessi
aver diritto di offendermi.

Eppoi non ci tenevo punto alla stima del sindaco:
e non ero curioso di sapere ciò che diceva di me.

Mi disponevo ad andarmene, quando mi accorsi
che qualcuno mi spiava dalla porta socchiusa della
bottega.

Era il signor Bazzetta il quale certamente veniva
ad accertarsi se ero già abbastanza lontano da poter
sparlare di me.

Non potei trattenermi dal dirgli ad alta voce:

— Oh bravo! Se voleste aver la bontà di farmi
un po' di lume, ve ne sarei obbligato. Io adoro la
polizia.... urbana, l'unica che manchi a Sulzena.

Comprese la doppia allusione ch'io volli far al suo
racconto di poco prima e alla sconvenienza di quel-
l'ultimo atto, perchè rispose:

— Anch'io una volta, — ora non ci penso più.
Aspettate vengo colla lucerna.

Uscì poco dopo e volle rimanere a rischiararmi
la strada finchè io non ebbi svoltato verso la chiesa.

Mi volsi parecchie volte ed osservai che man
mano svaniva sul suo musettino il sorriso di ri-
guardosa premura con cui mi aveva augurato la
buona notte.

Don Luigi era arrivato da Novara.

Era tanto soprappensiero quando entrai, che non si mosse.

Aveva fatto l'ultimo tratto di strada a piedi con quella belletta; era stanco, infangato, — ma s'era fisso di aspettarmi

Indovinai che il buon prete aveva d'uopo di uno sfogo.

Gli parlai di Aminta, supponendo che la separazione da lui fosse il motivo della sua afflizione.

Mi disse che l'aveva lasciato felicissimo della sua nuova condizione.

Poi ad un tratto mi domandò:

— Credete, caro Emilio, che abbiamo fatto il suo bene?

Risposi che non si poteva dubitarne.

— Ebbene, guardate, soggiunse dondolando tristamente il capo più curvo del solito, guardate, c'è chi ne dubita.

— Oh, qualche ignorante.

— No, sono persone savie e prudenti, ma mal prevenute

Quel giorno a Novara era stato a visitare il Vicario, il quale, come sapesse lo scopo della sua gita, prima quasi che aprisse bocca, gli aveva parlato di Aminta soggiungendo che era costretto di esternargli il suo biasimo per avere stornato quel ragazzo dalla carriera ecclesiastica. Poi, senza lasciargli dire una parola a propria discolpa, aveva soggiunto che la cosa farebbe scandalo, molto scandalo; era vero il fatto sì o no? Non poteva negarlo; dunque non ci era altro da dire, — egli non sapeva davvero come pretendesse giustificarsi, — che nome darebbe a un capitano che facesse disertare i soldati: e pensare che lei, un sacerdote..... brutto esempio.... pessimo esempio !....

— Ma, esclamai io, chi può averlo informato?

Don Luigi si strinse nelle spalle : diamine, era facile indovinarlo.

— E che avete risposto? chiesi.

— Nulla; sono uscito di là che mi girava la testa. Però dicano quel che vogliono ; il ragazzo sta bene dov'è e ci resterà.

— Ma possono darvi dei fastidi per questo ?

— Non so; faranno quel che vorranno.

E il buon prete si curvò in aria di rassegnazione.

Quella notte stentai a prender sonno : il racconto di Mansueta, quello dello speziale, le confidenze di don Luigi mi giravano per il capo come le aste di un arcolaio; pensavo a Rosilde, al dottor De Emma; costui mi stizziva; mi pentivo di avergli accordata la mia simpatia. Anzi d'essermela lasciata scroccare. Non era egli causa di tutte le disgrazie dei miei amici ?

Mi pareva evidente.

Sicuro era lui che aveva abusato della solitudine di Rosilde, della dappocaggine del De Boni, della credula bontà di Don Luigi. Questo era il peggio ; compromettere un onest'uomo, esporlo a delle persecuzioni tormentose, implacabili. In fin dei conti facesse la penitenza chi aveva peccato !

Il suo contegno riguardo ad Aminta mi indignava! Perchè ricusava egli il suo appoggio al figlio di Rosilde ? Per riguardo alla moglie ? Magra scusa quando altri, quando un innocente, per riparare al suo abbandono, mettono a repentaglio tutta l'esistenza. Crudele egoismo !

La requisitoria era compiuta e la condanna non si faceva troppo aspettare.

La mattina seguente accadde a Baccio cosa tanto straordinaria che egli, per la prima volta in trenta anni di esercizio, si lasciò precedere nel suonare il mezzodì dal sacrestano di Sumasco, noto per la sua negligenza. E c'è di peggio.

Egli piombò nello studio del curato tenendo in mano, per distrazione, il *raggio* d'oro delle grandi solennità.

Mansueta gli corse dietro, don Luigi si avanzò rapidamente ad incontrarlo, ma entrambi dimenticarono tosto la stranezza del suo contegno perchè egli balbettò:

— Il sindaco la vuole in sacristia.

Incredibili parole che, per l'affanno, non potè ripetere.

Don Luigi era già uscito per corrispondere alla richiesta del sindaco, che il pover'uomo era ancora sbalordito ritto in mezzo alla camera.

Il signor Angelo non era certo venuto con delle buone intenzioni.

Il colloquio fu breve, non durò più d'un quarto d'ora, che però alla nostra ansietà sembrò interminabile.

Nessuno assistè. Il linguaggio del sindaco deve essere stato violento al solito: uscito dalla sacristia, sul sagrato si volse indietro e disse:

— Pensateci dunque: fra tre giorni o mi date quelle carte o preparatevi a ciò che vi ho detto.

Don Luigi, pallidissimo, rispose

— Sarà quel che Dio vorrà

Non capivo la minaccia del sindaco, e il curato non mi fè quel giorno alcuna confidenza.

Si ritirò nella sua camera e non ne uscì per tutta la giornata.

Mansueta, sollecita della salute del padrone, si recava sovente in punta di piedi a spiare dal buco della serratura, ed ogni volta tornava tentennando dolorosamente il capo.

Don Luigi passò tutte quelle ore ginocchioni pregando.

I dì seguenti il sindaco passò e ripassò più volte davanti al presbiterio coll'aria provocante di un creditore inesorabile. Le sue occhiate, volta a volta beffarde e furiose, causarono una quantità di disordini.

Mansueta lasciò due volte struggersi la cena sul fuoco. Il solo appressare del noto passo la metteva in convulsione.

E la non poteva sapere qual nuovo genere di tortura colui avesse potuto trovare, ma capiva che doveva essere formidabile dal contegno di Don Luigi, che da quel colloquio in poi non aveva più ricuperato la sua calma e anzi diventava sempre più inquieto e sofferente.

Pertanto io cominciavo a trovarmi a disagio.

Ero rimasto per riguardo a Don Luigi, e avrei voluto davvero essergli utile in quel frangente di cui mi era ignota la gravità. Ma la sua afflizione non pareva di quelle che si alleviano colle parole.

Il curato si manteneva stavolta chiuso con me come con tutti; noi ci vedevamo appena all'ora solita e si capiva che malgrado tutti gli sforzi egli non riusciva a dominare la cura segreta dell'animo.

Non volevo, al postutto, dargli soggezione.

XXV.

Erano le riflessioni ch'io facevo fra me tornando dalla Testa Grigia dove avevo voluto arrampicarmi un'ultima volta. E la conclusione fu ch'io avrei quella stessa sera chiesto congedo per l'indomani.

La serietà di questo proponimento mi fè naturalmente rallentare il passo. Una singolare tenerezza mi legava a quei luoghi. Le poche settimane colà passate rappresentavano per me un lungo e notevole periodo della mia vita.

Un villaggio è spesso un piccolo mondo che spicca sopra un orizzonte immenso: quivi gli umili casi quotidiani hanno sempre per scena l'ampia campagna, il cielo infinito.

Il terreno era umido per un primo nevischio caduto il giorno prima: avanguardia delle grosse nevi che per allora stavano attendate sulle cime del Sempione. Aveva fatto una splendida giornata, di quelle limpide che reca il vento dalla montagna. L'aria, fredduccia, ma in compenso tersa, trasparente, quasi sopprimeva le distanze.

Ero ancora lontano un quattro miglia da Sulzena e avrei detto di arrivarci in un salto.

Giravo la gola di Fontanile e vedevo il villaggio rimpetto, un po' sotto a me, indorato dai raggi del sole che cadeva. Distinguevo i più minuti particolari, le siepi, le finestre, coi pannilini stesi, le pietre, le spire del fumo che usciva dai bassi comignoli.

È delizioso spettacolo questo di poter in una occhiata riassumere la vita di un intero paese; dà un sentimento di potenza, quasi di superiorità; pare di poter disporre di quel gruzzolo di vite come si fa di un alveare.

Istintivamente mi ero seduto e guardavo

Ad un tratto un altro particolare attrasse la mia attenzione.

Da quella parte il terreno degli orti di Sulzena si divalla rapidamente tracciando una leggera concavità, il cui terreno sassoso e scheggiato, è qua e là rivestito da radi cespugli di ginepro.

Notai che dei massi staccandosi a certi intervalli saltellavano giù a precipizio per quella scesa e balzavano nel torrente sottoposto.

Osservando meglio potei scoprire la causa di questo franare poco naturale nella sua continuità; era una persona, un uomo in abito scuro che di quando in quando spiccatosi da un cespuglio si lanciava ad afferrare quello più vicino che gli soprastava. Così a salti e sforzi intermittenti saliva verso il villaggio.

Chi poteva essere costui che preferiva alla strada comoda che sale dalla parte di ponente, questo sentiero da scoiattoli? Due sole ipotesi possibili, — — uno cui preme non farsi scorgere. — oppure un matto come me che abborre le strade battute e ama meglio fiaccarsi il collo che seguir gli altri.

Questa seconda supposizione era la più probabile.

La simpatia, ispiratami da questa somiglianza di gusti, mi vinse e indugiavo guardando il curioso lavorio di quello sconosciuto, — finchè un'ora dopo lo vidi sparire fra due siepi spostando l'ultimo rovinio di pietre che celebrò distesamente il suo trionfo.

Allora anch'io mi mossi.

Cominciava ad imbrunire.

I colori del paesaggio erano spariti: il quadro acquistava il grandioso indefinito del bozzetto. Spari-

vano nell'ombre i lineamenti e restavano ingrandite
le linee. Le forme di quel poema di terra e di cielo
lasciavano a nudo il concetto. Il quale esprimeva
una cupa tristezza.

Il profilo del villaggio si disegnava debolmente sul
fondo bianchiccio del monte: ai due capi opposti il
presbiterio e la casa del sindaco: il primo, a spigoli
retti semplici, smussati agli angoli da gruppi di
piante: ritto in mezzo l'esile campanile tendente al
cielo; — l'altra tutta a sporgenze, a denti come una
immagine di un accattabrighe. Si sarebbe detto che
quei due edifizi recassero impietrita la storia del
lungo dissidio fra i loro abitatori.

E la fantasmagoria acquistava man mano efficacia:
altre figure venivano ad aggiungersi alle prime.

In mezzo alle due case dominatrici un po' indietro
la specola quadrata dello speziale come un curioso
che coi debiti riguardi osserva due litiganti che
stanno per venire alle prese.

Una quarta casupola si levava sopra la linea
media del villaggio; imboscata fra due noci giganti
che le sorgevano ai due lati. dopo lunghi calcoli,
conchiusi che fosse l'abituro di Beppe, smilzo, gramo.

Era notte chiusa. Affrettai il passo; facevo d'indovinare le pietre meno aguzze per posarvi il piede,
incespicavo sovente. Qualche volta cadevo; una volta
percossi colla fronte una delle croci disposte lungo
il sentiero a ricordo di una sciagura. Non so perchè
avevo quasi paura come quando ero bambino; involontariamente pensavo ai viottoli vivaci della mia
Milano, ai crocchi gioviali dell'osteria del *Gallo*

Malgrado le difficoltà camminavo lesto, vo a saltelloni. a sdruccioloni, e mi avvicinavo rapidamente
a Sulzena.

Sbuco sotto la casa del Sindaco; sento la sua voce aspra, collerica nel tinello che strapazza la fantesca. Tiro dritto, infilo la strada del villaggio.

Una figura nera viene alla mia volta; poi si ferma e torna indietro. Io proseguo: lo sconosciuto mi precede un tiro di pietra; e ad un tratto sparisce non so dove.

Poco più in là passo innanzi alla casa della povera Gina.

È la seconda volta che in una sola sera penso a lei.

L'immagine di quella disgraziata mi s'affaccia al primo mio giungere in Sulzena ed ora, alla vigilia della partenza, non potevo allontanarla dalla mente.

Avvicinandomi al presbiterio incontro Baccio che mi passa accanto frettoloso senza vedermi.

Entrando nel cortiletto mi sgomenta un po' il trovarvi il cavallo del dottor De Emma.

Fosse malato don Luigi?

Mansueta si affrettò a rassicurarmi. Il dottore è venuto da sè per affari; da un'ora è chiuso col curato nello studio.

Salgo ad aspettare la cena nella mia camera: la finestra verso strada è aperta.

Nel villaggio è buio; un filo di luce che esce dal nostro portone taglia a mezzo la piazzetta del sagrato.

Nel cortile scalpita la cavalcatura del signor de Emma: s'ode qualche belato fioco come venisse di sotterra.

Il colloquio nello studio si prolunga.

Un passo s'avvicina. È Baccio che torna. Don Luigi e il dottore gli vengono incontro a' piè della scala. Sento il sacrestano che dice:

— In casa non c'è.

Poi entra: la porta dello studio si chiude di nuovo. Nessuno si ricorda di me.

Accendo un lume, prendo un libro.

Mentre sto per chiudere la finestra, un lontano rumore mi colpisce. Parmi d'aver inteso un grido. un altro; poi silenzio. Che succede all'altro capo dell'abitato? Segue un confuso vocio Passano alcuni minuti di quiete profonda. — un cane abbaia e mugola.

Due contadini si avvicinano a passo a passo.

Parlano fra loro a monosillabi, sembrano commossi. spaventati.

Uno dice·

— Tu hai visto

L'altro risponde:

— Che ! E tu?

— Neppure.

— Che si dice?

— Che l'hanno ammazzato.

— Che sia morto?

— Per bacco! dieci coltellate.

— Tredici....

— L'hai contate?

— Ohibò!

— E già non lo vo' a ripetere.

— Me l'ha detto lo speziale.

Sono passati; vanno a precipizio giù per la scesa. Un altro passo.

Questo si ferma alla nostra porta.

Una voce chiede nel cortile :

— C'è in casa il dottor di Zugliano?

Mansueta risponde di sì

L'altro aggiunge qualcosa ed ella dà in esclamazioni.

Alla sua voce accorrono il curato e il dottore: parlano tutti insieme.

Scendo anch' io.

Appena mi vede, Mansueta alza le braccia:

— Oh che disgrazia, oh che disgrazia, il sindaco....

— Andiamo, dove l'hanno portato? domandò il signor de Emma.

— Nella farmacia, risponde il montanaro.

E s'avvia. Li seguo.

Per istrada il buon uomo conta al dottore che Beppe, tornato improvvisamente in paese, ha appostato il sindaco che all'ora consueta si recava dallo speziale, l'ha *forato* da tutte le parti.

Accorse alle grida lo speziale col suo garzone, lo trovarono che trascinava pei piedi il moribondo. Ci vollero tutti gli sforzi per levarglielo dalle mani. Egli era furibondo, gridava: — l'ho finito io, — e vo' buttarlo nell'acqua: non bisogna sotterrarlo in terra di cristiani, vicino alla Gina!

Il dottore, a cui certo premeva assai più la salute del feritore che non la vita del ferito, s'informò di Beppe.

Il montanaro rispose ch'era scomparso. Nessuno aveva tentato di trattenerlo. Tutto il paese era per lui: si sapeva bene, s'egli aveva *menato* era che gli avevano fatto il solletico nelle mani. Naturale! levate il sentimento ad un uomo e diventa lupo.

Era giustizia greggia, ma giustizia giusta.

Potei accorgermi quanto fosse odiato a Sulzena il signor Angelo: dopo il primo momento di allarmi il villaggio era tornato silenzioso. Non era indifferenza, ma noncuranza volontaria e ostile.

Notai che molte finestre erano socchiuse, altre semiaperte; ma non vidi una sola porta aperta.

Entrammo nella farmacia. Il ferito era disteso sopra un pagliericcio: coperto di cenci insanguinati: il capo chino sulla spalla sinistra, la bocca intrisa di bava nerastra.

Il dottore De Emma s'inginocchiò e appressò l'orecchio al cuore del giacente.

Batteva ancora.

Le donne dello speziale immobili assistevano con glaciale curiosità alla visita, e guardavano il ferito come se fosse stato un sacco di noci

Il signor Bazzetta ritto in mezzo a un mucchio di bende, di fiale, enumerava al medico le operazioni da lui praticate, e vi aggiungeva coll'usata garrulità le sue diagnosi e le sue prognosi.

Il dottore ordinò a tre omaccioni, dipendenti del De Boni, che l'avevano soccorso, di sollevarlo nel pagliericcio; e lo fece recare a casa

Ci andai anch'io.

Bisognò picchiare un quarto d'ora di seguito perchè la fantesca si decidesse ad aprirci.

Deposto che fu sul letto, il dottore esaminò attentamente il ferito: aveva il petto, la schiena, il collo tempestati di trafitture larghe e profonde. Viveva ancora, ma per morire in breve.

Appena gli astanti intesero la gravità del suo stato, sfumarono tutti. Anche la serva, donnaccia ributtante colla quale, dicevasi, il De Boni viveva maritalmente, disperando della ulteriore liberalità del morente, fatto fagotto delle robe sue o non sue, se n andò senza neppur volgergli uno sguardo.

Rimanemmo noi due col signor Bazzetta che, pratico della casa, aiutò il dottore a trovare le cose necessarie alla medicazione.

Finito ch'egli ebbe ci sedemmo a quel desolato capezzale. Lo spettacolo di quella triste esistenza, che si spegneva in così profondo abbandono, in così cupa solitudine di affetti, era cosa da stringere il cuore.

E nella lugubre solennità di quel momento mi ripugnava la calma del dottore: non potevo levarmi dalla testa, che, unico al mondo, egli avesse dei torti verso quello sciagurato.

Il farmacista non poteva rimaner silenzioso un pezzo : la sua cinica loquacità era ributtante. Egli discorreva delle cose più indifferenti, narrava storielle come fossimo a veglia dinanzi a un tavolo d'osteria: — e, se volgeva la sua attenzione al moribondo, era per biasimarne la condotta, il carattere 'e sopratutto la caparbietà nel non dar ascolto ai suoi vantati consigli.

La sua voce ineguale, garrula era accompagnata dal rantolo cupo del morente e dal lontano rambazzo dello Strona.

M'ero messo accanto alla finestra e guardavo giù nella valle, contemplavo la sublime, schiacciante indifferenza della natura. Il sentiero che avevo percorso poche ore prima allacciava il monte dirimpetto come una cintura biancastra.

Mi vennero a mente le strane immagini che avevano preconizzato alla mia fantasia il dramma terribile alla cui catastrofe in quel punto assistevo.

L'agonia del signor De Boni fu più lunga e più travagliosa di quel che il dottore avesse previsto. La vitalità tenace di quella tempra eccezionale tentò un ultimo sforzo disperato.

Verso la mezzanotte si dichiarò la riazione con una febbre violenta. Il respiro si fè più forte e più

15

frequente ; un tremito convulso squassò le membra del moribondo.

Poco dopo cominciò il delirio.

La ferita del collo e la tumidezza da essa prodotta rendeva quasi inintelligibile quel ch'egli diceva.

Erano. per quel che ho potuto comprendere, bestemmie, imprecazioni, a cui si mescolava di frequente il nome spregiativo di « chierica ».

Senza dubbio voleva designare il curato L'infelice minacciava il suo avversario come se possedesse ancora tutte le forze della sua salute e della sua influenza

La crisi durò tutta la notte In quel mezzo capitò don Luigi.

Per lui le persecuzioni sofferte non erano un motivo sufficiente per credersi dispensato dal prestare i suoi caritatevoli uffici verso un suo parrocchiano.

Il sant' uomo entrò nella camera senz'ombra di ostentazione, dimessamente, col contegno di chi compie un doloroso dovere.

Il dottore non gli permise di accostarsi al letto

Senza dar retta alle obbiezioni insipide dello speziale che annusava con ingorda ansietà lo spettacolo di uno scandalo. gli fè capire che la sua visita non era opportuna.

Il sindaco continuava nei suoi farnetici.

Don Luigi potè intendere alcune delle sue parole· una crucciosa, una sincera afflizione si dipinse sul suo volto. S'arrese alle rimostranze del dottore ed uscì piangendo

Furono queste le sole lagrime che vidi intorno a quel letto.

Venne in vece sua don Sebastiano.

Amministrò all'inferno l'estrema unzione, brontolando frettoloso fra i denti le preghiere rituali.

Poi spogliò il rocchetto, la stola e chiese al dottore se sarebbe stato possibile il confessare il moribondo.

Il signor De Emma disse che non poteva dir nulla con certezza: se voleva aspettare, verso l'alba, la febbre sarebbe scemata oppure....

A questa reticenza il prete soggiunse duramente:

— Va bene.

E sedette. Era un'indifferenza di più.

Tutto ciò era brutto, mi irritava.

Uscii. Cominciava il crepuscolo, l'ora preferita dell'angelo della morte.

Rompevano il silenzio dei belati che sembravano lamenti. Gli alberi si agitavano alla brezza mattinale come rabbrividissero e gocciolavano lagrime di rugiada.

Un gallo cantava colla sicumera crudele di un diacono che intona le esequie.

Baccio suonava l'*angelus*, e insieme l'agonia del sindaco.

Poi la scena mutava rapidamente: al funereo barlume sottentrava l'incarnato dell'aurora, il paesaggio usciva dal grigio lenzuolo, salendo a poco a poco la gamma dei suoi colori: il giorno usciva dai limbi misteriosi dell'alba.

Io aspiravo con voluttà l'aria vivace: assaporavo con delizioso egoismo le pulsazioni possenti della vita.

Un rumore misurato di passi mi riscosse dalla estatica contemplazione.

Sbucavano di dietro il muro della chiesa quattro carabinieri condotti da un brigadiere, un'atletica figura di savoiardo. Un montanaro di Sulzena li accompagnava.

Il signor Bazzetta aveva colta con premura l'occasione di esercitare le sue funzioni di assessore. Egli aveva mandato avviso alla stazione di Mirasco.

I cinque soldati sostarono un minuto sulla piazzetta. Poi il brigadiere mi si accostò e mi chiese se sapevo notizie del feritore.

Risposi in buona fede che credevo avesse lasciato il paese.

— E probabile, soggiunse, però bisogna compiere le formalità.

E volto alla guida che l'aveva accompagnato :

— Alla casa di Giuseppe Rivella, andiamo.

Mi salutò e s'avviò coi suoi uomini.

Tenni loro dietro.

Eravamo tutti convinti che la ricerca intrapresa dal brigadiere fosse una pura formalità

Tuttavia egli per quella puntualità allobroga che nelle faccende quotidiane rado fallisce, essendo il mondo *routinier* più di quanto lo si creda, dispose le cose come se avesse a far una cosa seria; e seria era perchè doverosa.

Per ordine suo, due uscirono dalla strada e vennero ad appostarsi dalla parte degli orti. Egli cogli altri due si avanzò per la strada del villaggio e si presentò alla porta della casa. Era socchiusa.

Il brigadiere lasciò ancora uno di guardia alla soglia e vi entrò

Io osservavo dalla strada questa manovra e s'era fatto un crocchio di gente intorno a me; tutti erano del mio avviso.

Chissà dove poteva essere a quell'ora il povero Beppe!

Ma era appena entrato il brigadiere, che intendemmo il comando ed un alterco. Accorremmo.

Beppe era in casa! Ritto in capo alla scala, coll'aria sconvolta, l'occhio smarrito e minaccioso, spianava una carabina di custode in faccia agli agenti della forza pubblica gridando:

— Indietro, indietro.

Il brigadiere s'era fermato al primo gradino e, senza punto sgomentarsi, coll'aria di chi ha da far con un ragazzo, dicevo risoluto:

— Giovinotto, giudizio! Abbassate quell'arma e venite con noi.

— Vengo, ma ad un patto.

— Ma che patto!

— Vo' sapere se colui è morto e vo' vedere il cadavere.

— Andiamo, andiamo, sclamò seccato il brigadiere e si moveva.

Poteva nascere disgrazia.

Mi lanciai e lo trattenni.

— Lasciate ch'io gli parli, dissi.

E fattomi innanzi:

— Beppe, volete darmi retta a me?

Mi ravvisò, e togliendosi con moto istintivo la berretta:

— Sì, signor pittore.

— Ebbene, obbedite al brigadiere, sarà pel vostro meglio, — e la giustizia terrà conto dei vostri dolori.

— Signor pittore, ditemi che il sindaco è morto ed io vengo dove vogliono.

Ci teneva alla sua vendetta.

— Il sindaco non è morto ma non tarderà ad esserlo.

— Sicuro?

— Come son sicuro che stassera tramonterà il sole.

Il suo volto balenò di una gioia selvaggia.

Il brigadiere. che in questo momento era salito, lo disarmò e lo consegnò a' suoi uomini. che gli misero le manette.

Egli li lasciò fare: pareva istupidito.

Prima che lo menassero io gli presi una delle sue mani legate e gliela strinsi senza ripugnanza per l'atto di cui s'era macchiata.

— Coraggio, gli dissi, i vostri amici si ricorderanno di voi.

Egli mi fè un sorriso ebete e chinò il capo.

Lo trassero alla casa comunale. dove fu per il momento rinchiuso.

XXVI.

Un messo venne ad annunziare al brigadiere l'arrivo del procuratore del re. Perciò, lasciati due dei suoi a custodia dell'arrestato, egli mosse incontro al magistrato

Discesi anch'io colla folla smaniosa di vedere il nuovo personaggio del dramma terribile che da dodici ore metteva sossopra Sulzena

È impossibile dimorare per poco in un villaggio senza dividerne tutte le minuscole curiosità.

Il rappresentante della giustizia col suo cancelliere venivano modestamente cavalcando due magri e sflancati ronzinucci da nolo. che trotterellando affannosamente, martellarono acutamente l'immane ciottolato.

Era un bellissimo giovane con una elegantissima barba nera.

Avevo cominciato appena ad ammirarlo che egli, balzato a terra, si buttò con una festevole esclamazione di sorpresa fra le mie braccia.

— Emilio, non mi conosci più?

E chi diamine avrebbe potuto ravvisare sotto quelle apparenze civili e in quel grave uffício il mio Attilio, l'allegro amicone di tre anni prima, il mio complice in versificazione ed altre capestrerie?

— Che, domandai, sei diventato un uomo serio?

— Quasi.... tanto da farti ridere, brigante: e tu?

— Io so far di tutto fuorchè delle cose sensate.

— Taci, credi tu che le mie requisitorie lo siano?

Gli astanti ci guardavano a bocca spalancata strabiliando di sentire un avvocato fiscale parlare con tanta disinvoltura.

Attilio fu il primo ad accorgersene. Ricordò la la sua missione e chiese di vedere il ferito.

— Vieni, ti condurrò io, gli dissi.

Il cancelliere rimase indietro a levar da una grossa tasca che teneva in groppa la carta e le penne per stendere l'interrogatorio.

Noi lo precedemmo alla casa del Sindaco. Incontrammo per via don Sebastiano e lo speziale che a malincuore s'avviava ad aprir la sua bottega.

Seppi da lui che il signor Angelo era tornato in sè verso il far del giorno ma declinava rapidamente. Attilio incaricò l'inserviente comunale di avvertirlo del suo arrivo. Noi lo seguimmo su per l'incomoda scaletta di legno. Appena entrammo nella camera, prima ancora ch'egli avesse aperto bocca, il signor De-Boni, a cui l'inserviente aveva fatto l'ambasciata, puntellandosi con uno sforzo supremo per alzarsi; volto ad Attilio, con voce soffocata ma abbastanza intelligibile ruggì :

— Fatemi giustizia ; dicono che chi m'ha assassinato è il Beppe Rivella. — ma, ricordatevi, che l'ha mandato il curato. Egli m'ha imposto per diciotto anni un suo bastardo e per liberarmene l'ho minacciato di tutto rivelare ed egli... guardate..... m'ha fatto finire... finire, prete assassino.... giustizia!

E cadde rovescio col capo penzoloni fuori dal letto, livido, convulso

Era orribile : qualcosa di infernale

Il medico osservò che la morte non poteva tardare.

Lo sciagurato aveva consunto gli estremi aneliti di vita in quell'ultima protesta di odio.

Appena potei riavermi dallo stupore, mi tornarono vive alla mente le terribili sue dichiarazioni. Secondato dal dottore, dissi ad Attilio che erano menzogne, gli fei elogio del curato e lo scongiurai in nome della nostra buona amicizia di non tener conto di quella accusa

Attilio si lasciò smuovere a mezzo.

— Poichè, disse, egli ha fatto quelle dichiarazioni estragiudizialmente, se egli non potrà ripeterle in formale interrogatorio, farò di esaminare il curato privatamente. Capirai che non posso prometterti di più.

Lo ringraziai con una stretta di mano.

Sopraggiunse il cancelliere e, non potendosi oramai far altro Attilio col concorso del signor De Emma eresse il verbale di perizia medica.

Mentre essi lavoravano in un angolo, il sindaco si dibatteva solo nel suo letto Il suo rantolo intermittente e sempre più fioco accompagnava lugubremente le esplicazioni laconiche del medico e il formulario che Attilio dettava al cancelliere.

Prima che fosse terminato spirò.

Il medico si avvicinò, lo esaminò attentamente e disse: è finito.

Io non ebbi il coraggio di guardarlo.

Uscimmo.

Attilio si recò nel palazzo comunale e procedette quivi all'esame dei testimoni.

Io lo aspettai nella strada passeggiando.

Quando, dopo due ore, mi raggiunse, mi disse stringendomi la mano:

— Bene, bene, il tuo don Luigi pare al coperto.

Concorrevano nel ferito cause sufficientissime a delinquere. Però, a scarico di coscienza, conducimi teco dal curato, senza aver l'aria di nulla, così sotto colore di far una visita. Tu mi presenti, poi mi lasci solo con lui, ed io gli farò un paio d'interrogazioni. Son certo che tutto finirà lì.

Acconsentii di buon grado e gli fui guida al presbitero.

Don Luigi era in chiesa che celebrava l'ufficio funebre per il defunto.

Poco dopo ci venne a raggiungere nel salotto: era afflitto profondamente ma tranquillo.

Fè cordiale accoglienza all'amico mio e deplorava di dover fare la sua conoscenza in un giorno come quello.

Dopo alcuni minuti uscii e andai in cucina dove trovai il dottore.

Misurava la camera a passi ineguali: era vivamente preoccupato e pareva assai inquieto del colloquio che in quel mentre seguiva nel salotto. Sempre fisso nell'idea ch'egli fosse la causa prima di tutto il malanno, io attribuivo la sua agitazione al rimorso. Sedetti accanto al camino e tacqui.

La nostra attesa non fu lunga.

Era scorso appena un quarto d'ora che Attilio comparve sull'uscio e mi disse:

— Vo a cercare il cavallo, mi accompagni?

Aveva una ciera tanto buia che mi sgomentò.

Fuori mi prese a braccetto.

— Dunque? domandai con viva ansietà.

— Cose gravi, caro mio; l'accusa del sindaco sarà falsa; pero sussistono i motivi con cui ha voluto spiegarla.

E mi ripetè il colloquio con Don Luigi.

Rimasti soli, Attilio, scusandosi con gli obblighi del proprio ufficio, gli avea rivolto questa domanda:

— Qualcuno pretende che sia corsa qualche relazione fra lei e una donna legata in qualche modo col defunto De Boni. È vero ?

Don Luigi s'era turbato forte, e impallidendo subitamente, a capo basso, aveva risposto·

— È vero

— Esiste un figlio di questa donna !

— Sì

— Legittimo?

— No.

— Sa lei ... che De Boni gliene attribuiva la paternità?

— Sì .

— È vero che l'aveva minacciato di far delle rivelazioni in proposito?

— Sì.

— E queste rivelazioni lei le conosce?

— Sì.

— Sono ésatte ?

Don Luigi non aveva potuto rispondere altrimenti che con un cenno affermativo del capo: era tanto abbattuto che Attilio non aveva creduto di insistere.

Egli mi disse:

— Capirai che probabilmente sarò costretto ad assumere un suo formale interrogatorio. Ti ripeto che lo credo innocente, — ma intanto è necessario che ciò si chiarisca nella procedura.

L'impreveduta confidenza mi aveva tanto sbalordito che non potei profferire parola.

Seguii come trasognato il mio amico fino alla stalla dell'inserviente, dove avevano condotti i cavalli.

Quivi sopraggiunse poco dopo il signor De Emma.

Ci prese in disparte e disse ad Attilio:

— Signor avvocato, don Luigi si è candidamente accusato e non ha pensato a difendersi. Egli le ha detto la verità ma non tutta la verità. Le sue confessioni possono far sospettare di lui; ma io le posso assicurare che il dabben uomo non ebbe mai verso il De Boni l'ombra di una colpa. La scongiuro a mani giunte di non tenerne conto: un atto di procedura fondato sovra esse non gioverebbe alla giustizia ma ucciderebbe senza riparo la riputazione e forse anco la vita di un innocente.

Attilio esitava a rispondere.

Il dottore soggiunse:

— Il suo amico le può dire che fior di galantuomo sia don Luigi.

— Però v'è contro di lui un indizio grave, — osservò Attilio, — risulterebbe che egli abbia imposto il peso di un suo figlio naturale al signor De Boni.... si può indurre che egli aveva interesse a temerne e ad evitarne le rivelazioni....

— Ma egli non ha imposto nulla, non sapeva nulla. Senta. Lei, tornando passerà da Zugliano : favorisca in casa mia; mi lusingo di riuscire a convincerla.

E rivolto a me:

— Venite anche voi ; potrete confermare buona parte del mio racconto.

— E don Luigi ? — osservai riconciliato interamente col dottore. Sarà meglio lasciarlo tranquillo. Inoltre bisogna bene che ci occupiamo senza indugio del povero Beppe.

Andai con lui al presbiterio a congedarmi

Don Luigi non cercò di trattenermi : prese la la mano ch'io gli porsi rispettosamente, mi tirò a sè, mi abbracciò con effusione senza far motto.

Il segretario fu tanto buono da cedermi la sua cavalcatura e partimmo col dottore

Allo svolto dove la strada passa ancora sotto Sulzena prima di seguir la vallata mi volsi e diedi un'ultima volta uno sguardo di tenerezza al presbiterio che stendeva modestamente al sole cadente i suoi muri bianchi e le ultime foglie rosse del suo pergolato.

Dal muricciuolo dell'orto la Mansueta mi salutava scuotendo il suo grembiale con ambe le mani.

Nella confusione della partenza m'ero dimenticato di lei. Eppure dopo tanti anni ho ancora vivissima in me la sua immagine! Povera vecchia, santa donna. quanto mi sono rimproverato di non essere tornato indietro a stringer la sua mano aggrinzita dal lavoro!

Allora non credevo di non averla a riveder più.

Addio! con un cenno di mano si piglia commiato per tutta l'eternità !

Si faceva tardi : mettemmo i cavalli al galoppo.

A qualche miglia da Sulzena passammo innanzi
ai carabinieri che menavano il Beppe.

Lo chiamai per nome.

Non intese.

Camminava colle braccia ammanettate in croce
sul petto, colla testa china, col fare stralunato di
un uomo che ha l'animo fuori di questo mondo.

XXVII.

Il dottore era tanto impaziente di raccontarci la
sua storia quanto noi di ascoltarla.

La strada c'era sembrata lunga. Perciò non appena
arrivammo a casa sua, ci chiudemmo nel suo studio
e di tacito accordo si venne subito all'argomento.

Egli parlò per più di tre ore col linguaggio sobrio
e al tempo stesso colorito di un uomo di mondo che
discorre di cose serie.

A parte la speciale gravità delle circostanze, il suo
racconto era per sè stesso molto interessante. E tal
sembrerebbe così anche ai miei lettori, se potessi
ripeterlo com'egli lo espose. Ma sono costretto a riassumere alla meglio

IL ROMANZO DEL DOTTORE.

Il signor De Emma aveva avuto una gioventù bur-
rascosa. Travolto, fin dai primi anni nelle fortunose
vicende del 1821 aveva visto il padre, antico e venerando patriota morire in una delle terribili for-
tezze dell'Austria ed egli stesso aveva dovuto al
nome di quella vittima illustre di poter sfuggire

quasi miracolosamente alle prigioni di Mantova da
cui, a istruttoria finita, era destinato per seguir la
sorte paterna, allo Spielberg

Troncati gli studi, confiscati i beni, non si perdette d'animo tuttavia. Natura temprata alla lotta,
maschio carattere, salute a tutta prova, giurò non
solo di affrontare, ma di vincere la battaglia che gli
si offriva

Passò in Inghilterra, le terra eternamente ospitale
a tutte le sventure Si rannicchiò in una cameretta,
la più a buon mercato che potè trovare nel labirinto
di Londra, contò il poco peculio rimastogli dal nau-
fragio della sua fortuna, e, fatto il calcolo che ne
aveva ancora abbastanza per non temere, per un
anno almeno, la fame. riunì in un pacco le molte
lettere di raccomandazione che gli amici della sua
famiglia gli avevano procurato in gran numero e le
pose in fondo al baule. Voleva tentare, almeno tentare, di poter dire un giorno di dover tutto a sè
stesso. L'orgoglio a volte, è la più nobile e la più
feconda delle virtù.

L'anno in cui era stato avvolto nel movimento
rivoluzionario, doveva essere quello della sua laurea
in medicina; in esso aveva visto invece aprirsi al
padre la tomba, a sè la prigione e l'esiglio. Ora bisognava riprendere i corsi; ma l'infortunio che lo
aveva così spietatamente trafitto d'un tratto nel suo
cuore di figlio e di patriota, aveva ripercosso i suoi
colpi nel cervello dello studente.

Le lagrime versate, le bestemmie espresse, le diu-
turne lotte dello spirito in quegli eterni interroga-
torii di cui parla Silvio Pellico con tanta amarezza,
tuttociò aveva portato nelle sue idee una confusione
che confinava quasi colla dimenticanza.

Ma ciò non sconfortava il giovane De Emma: la calma, la solitudine, la prepotente idea del dovere, avrebbero ben presto rimesso a sesto ogni cosa. Una nuova barriera, e questa più alta assai, gli si presentò davanti come appena ebbe frequentate le aule della Università e avuto modo di scambiar parola con condiscepoli e professori. Spirito avanzato quanti altri mai, e dell'avanzare innamoratissimo, non si sbigottì ma fremette quando s'accorse che, se volea degnamente percorrere la carriera intrapresa e percorrerla nella via del progresso, gli era forza tornar indietro fino a metà del cammino percorso ed ivi, dimenticata la strada rifatta piena d'ombra e di polvere, incamminarsi per opposti sentieri, fino a quel giorno appena intraveduti, e che adesso gli apparivano sfolgoranti di luce e di verità.

Mentre in Italia la medicina, per opera specialmente del grande Morgagni, cominciava ma appena ad abbandonar l'antico spirito di sistema per un illuminato eclettismo, e ove pochi ingegni preclari si sprofondavano nello studio dell'anatomia patologica, e da pochissimi o da nessuno determinavasi ancora la sede delle malattie nè descrivevansi le alterazioni che producono, ed erano trascurate quand'anche non derise le ricerche microscopiche e l'analisi dei liquidi, — in Inghilterra, le dottrine di Mesmer, spuntate al tramonto dell'ultimo secolo, già preoccupavano tutti gli spiriti più elevati e già avevano aperti nuovi orizzonti al pensiero: Hanhemann contava ogni giorno più numerosi i suoi satelliti; e le scoperte e le indagini di Jenner, di Corvisart, di Avenbrugger, di Loenner e di Pinnel, il redentore degli alienati, avevano rivoltata come un guanto la scienza.

E questa l'imagine abbastanza comune, ma giusta, che si affacciò al giovane studente di medicina, davanti all'inesorabile evidenza dei fatti. Si ingolfò dunque nelle nuove dottrine, benedicendo quasi a quel tempo di miserie perdute, che provvidenzialmente lo aveva scosso nelle false o men rette convinzioni acquistate con tanta perseveranza in Italia. Chiamò la fatica a duello, e fece e si mantenne la promessa di lavorare dieciotto ore sulle ventiquattro. Diminuì il *budget* delle spese quotidiane, diggià abbastanza mingherlino nell'antecedente preventivo, si fece trappista e cenobita, e rinfrancandosi nel pensiero della patria lontana e nell'esempio nobilissimo del padre, trovò la vigoria e la pertinacia per condurre per quasi un anno una vita che, senza quel ricordo e quello stimolo forse avrebbe spezzato anche una natura più robusta della robustissima sua. Ma i libri in Inghilterra, e quelli in ispecie di cui egli doveva riempire la sua cameretta costavano, a que' tempi, un enorme denaro: non contento di quelle della clinica egli voleva fare esperienze per conto proprio, e queste costavano ancor più dei libri. Ogni nuova riduzione di spesa sarebbe stata l'inedia!

Allora... allora chinò la testa un momento, ma per rialzarla più fiera e più convinta di prima. Scelse fra le lettere di raccomandazione, deposte in fondo al baule, dieci mesi prima con tanta balda illusione, quelle in cui non era precisamente indicato il genere di occupazione che egli si era prefisso ricoverandosi a Londra, e per un mattino di novembre dei più nebbiosi e freddi, uscì per andarsene in cerca di lezioni di lingue e di letteratura. Conosceva, oltre la sua, perfettamente il francese, il tedesco e l'inglese, era coi classici famigliarissimo, e la innata

attrazione per tutto che è nuovo ed ardito lo aveva
fino dall'adolescenza portato quasi all'adorazione degli
autori romantici, allora sconosciuti ai più, da molti
rinnegati, compresi o portati alle stelle da pochissimi giovani ingegni, per ciò appunto bersagliati a
loro volta e presi a celia.

Aggiungete a queste impareggiabili doti acquisite,
quelle di cui gli era stata prodiga la natura: un'alta
statura. un portamento che rivelava l'aristocrazia
della razza, gli occhi splendidissimi, la chioma cor-
vina, una mano bianca e affilata: tutto un insieme
di linee armoniose e robuste nel tempo stesso. *An
italian gentleman*, susurravano intorno a lui, appena vedendolo passare.

Perchè a queste notevoli raccomandazioni non voleva egli aggiungere quella che pochi o nessuno fra
gli innumeri aspiranti al posto di maestro di lingua,
ecc. ecc., che correvano. corrono e correranno le vie
di Londra, avrebbero potuto dividere con lui? Perchè
con tanta cura tentava di nascondere il neo-laureato
in medicina dietro il postulante pedagogo? Per un
sentimento in cui non so se entrasse in dose maggiore l'orgoglio oppure l'egoismo. Entrando nell'ono-
rato ma modesto sentiero in cui lo spingeva il bisogno,
egli sentiva di abbassarsi, non in faccia agli altri
ma in faccia a sè stesso; non voleva abbassar con
sè l'altissimo ideale, la scienza; per Lei, per l'amor
suo, pel suo culto ogni maggior sacrificio; ma am-
biva di farle la carità delle sue veglie senza ch'Ella
sapesse che cosa costassero al suo sacerdote. Come
aveva diviso in due parti il proprio tempo, così
aveva diviso in due parti sè stesso. Rientrando dopo
le sue lezioni per riaprire i dotti volumi, egli spo-
gliavasi per così dire la pelle del maestro e ridiven-

tava il pensatore, se sotto quella pelle alcuno sguardo indiscreto avesse potuto scoprire quest'ultimo, egli se ne sarebbe sentito abbandonato completamente; gli pareva che l'Idolo lo avrebbe guardato con faccia meno benevola, gli pareva che lo avrebbe profanato.

La fortuna gli arrise. Non era scorso un anno e la sua fama di professore aveva già fatto il giro delle sale più aristocratiche di Londra, sicchè egli aveva ormai abbandonato l'uggioso e gretto insegnamento delle lingue per non dar che lezioni di lettere e di estetica, lezioni che gli venivano largamente retribuite e che, introducendolo, intermediarii l'ingegno e la coltura, nelle più cospicue famiglie, dovevano trovar preparata al medico futuro una vasta e invidiabile clientela

Gli agi non lo tolsero alla sua vita di privazioni; anzi affilarono, per così dire, l'aculeo che lo spingeva allo studio, talchè in due anni egli fece ciò a cui altri non sarebbe riuscito di fare, in doppio spazio di tempo.

Pochi mesi mancavano al giorno in cui sarebbe stato in possesso di tutte le patenti volute dalla legge per professare la scienza salutare, quando un avvenimento sopraggiunse che doveva decidere di tutta la sua vita

Una delle famiglie con cui per mezzo delle lezioni egli era entrato in più intimi rapporti, — rapporti direi quasi di dimestichezza se dimestichezza fosse possibile fra inglesi e stranieri, — era la famiglia di Riccardo Hutley, antico capitano della Grande Compagnia. Arricchitosi di molto nelle Indie, il vecchio viaggiatore terminava in una quiete ben meritata la laboriosissima vita, in uno dei più begli appartamenti della City, educando principescamente insieme colla sua signora. l'unica figlia, miss Jenny, una fanciulla di dieciotto anni, un miracolo di virtù e di bellezza.

Oltre le ore dedicate alla lettura e ai commenti dei nostri poeti a fianco di miss Jenny, erano molte quelle che il giovane De Emma passava nelle sale da pranzo e di conversazione e in quella del bigliardo, invitato con sempre maggiore frequenza dal capitano che aveva preso stranamente ad amarlo. Il vecchio scorridore dell'Oceano prendeva un gusto da non dire udendo il professore leggere le terzine di Dante; mai, egli andava dicendo a chi voleva o a chi non voleva sentire, mai egli aveva meglio provato l'influenza dei versi... e notate che non capiva una sillaba di italiano! Bizzarria britanna!

Frequentando così assiduamente quella famiglia, obbediva egli ad un sentimento di cordialità, di gratitudine?

Tutti i colleghi che conoscevano quel giovane sempre pensieroso, sempre accigliato, il quale, — finite le ore dello studio non divideva cogli altri le lietissime dell'andarsene a zonzo, — che adocchiava, dalle vetrine dei librai, — le nuove edizioni, — nella attitudine di Adamo davanti al frutto proibito. — Tutti quei giovani inglesi lo guardarono, lo contemplarono, e finirono per ammirarlo.

L'idolo è custodito: ecco perchè i passi di De Emma furono seguiti da altri passi.

Quella frequenza contraria alle parche abitudini del giovane italiano, nella casa del vecchio capitano fece dire, dopo poco tempo, ad un primo.

— È innamorato di miss Jenny!

— È il suo amante, — ripetè il secondo.

— Quel vecchio babbeo!... osservò il terzo.

E così di seguito.

Che c'era di vero in tutto ciò ?

Eccolo detto in poche parole:

De Emma non era l'amante di Jenny, il padre di Jenny non era un babbeo, ma il primo interlocutore aveva ragione. — De Emma era innamorato. E il padre di Jenny se ne accorgeva.

Innamorato senza volerlo, quasi senza saperlo; come si è innamorati per la prima volta; innamorato non tanto della creatura come della poesia che ella espandeva, assorto in questa come in una visione; infelicissimo quasi sempre e più che mille volte felice in un giorno.

Venne l'ora in cui constatò la propria malattia, e se ne atterrì come mai forse non si era atterrito al capezzale di nessun infermo

Due soli rimedi potevano salvarlo: uno d'ambrosia, l'altro di tossico; al primo non poteva, non doveva nemmeno pensarci; quanto al secondo, c'erano novantacinque probabilità su cento che invece di guarirlo lo avrebbe ucciso De Emma scelse quest'ultimo.

Il giorno stesso in cui si era convinto della dolce e crudele verità, egli ricevette un invito come al solito dettato nei termini della più squisita gentilezza, in cui lo si invitava in campagna ad Hutley House, per l'indomani; era sottoscritto « Jenny »

Il povero giovane rispose immediatamente di non poter aderire all'invito attestando occupazioni che gli avrebbero reso necessario per assai tempo il soggiorno alla capitale. È vero che lacerò per ben tre volte il biglietto prima di poterlo scrivere in modo che la sua disperazione non trasparisse dalla sconnessione delle frasi e dei caratteri.

Quel giorno errò come un pazzo per le strade e pei parchi preceduto da un fantasima di fanciulla dagli occhi azzurri e dai lunghi, disciolti capelli biondi, che ora pareva sorridergli con ingenua famigliarità, quasi facendogli coraggio a seguirla, ora sembrava comporre a corrucciata espressione l'angelica faccia, come chi vorrebbe rimproverare e non osa, e tiene il broncio di fuori e di dentro ha il rovello. Quella notte la visione sedette davanti a lui, insonne e febbricitante, nè lo abbandonò che coll'alba, quando l'orologio della torre lo richiamò dalle plaghe della inesorabile fantasia ai solchi della crudele realtà. Ma i libri su cui si gettò come si precipita sulla fontana il pellegrino assetato non erano più quelli del giorno prima: che insipida presa, che gelata selva di formule, che arida landa di dubbii, di supposizioni, di errori! Come mai tutto ciò aveva potuto, per tanto tempo, formare la sua delizia, il suo orgoglio, l'esistenza sua tutta intiera?

Egli si vide allora spalancato un abisso in cui si sentiva irresistibilmente trascinato; come un ragno a cui la verga di uno spensierato fanciullo abbia infrante tutte le fila cui era sospesa la pensile dimora.

Fu dapprima uno sgomento inenarrabile, una perturbazione spasmodica, se così è lecito esprimersi, di tutte le fibre dell'animo suo; uno stupore, una meraviglia, di sè, degli altri, di tutto, come sarebbe quella di un uomo che addormentatosi tranquillamente nel proprio letto, si risvegliasse d'improvviso sull'ultima vetta dell'Imalaia, o all'estremo confine delle sabbie del Sahara. Questi dolori sogliono condurre per mano la pazzia a destra, a manca l'abbrutimento: la rassegnazione sta in mezzo talvolta.....

ma è una rassegnazione forse meno invidiabile dell'abbrutimento e della pazzia.

Guardata faccia a faccia la via del dovere, l'*angusta via del dovere*, come la chiama il poeta, quella che lo separava per sempre da Jenny, il giovane De Emma non trovò il coraggio di batterla che esagerandone le scabrosità, moltiplicandone le spine, tenendo a bella posta aperte e sanguinolenti le piaghe che gli rallentavano il cammino.

Il suo dolore a poco a poco andava trasformandosi in voluttà. Come il viaggiatore del deserto, sorpreso dalla notte, poichè ha acceso un gran fuoco onde tener lontane le bestie feroci, per paura di addormentarsi si abbrucia un dito, e come appena lo spasimo è cessato, lo riabbruccia, e così continua finchè l'alba tropicale non spunti in suo aiuto, così il signor De Emma cercava la propria salvezza, e, povero illuso, credeva trovarla, martirizzandosi nella fiamma fatale di quell'amore: ne si accorgeva che in tal modo, lungi dall'allontanarli si riscaldava e rinvigoriva ogni sorta di mostri nel cuore.

Ragionava, sillogizzava sulla sua passione; ciò che e terribile. Si arrestava, avvolto in certi pensieri che, se altri avesse potuto leggergli dentro all'involucro cerebrale avrebbero fatto dubitare della sua ragione

Continuava, ma macchinalmente, gli studi di medicina: il resto del tempo impiegava (oh dov'era l'uomo serio d'una volta!) rileggendo e meditando le istorie innumeri degli amori e degli amanti infelici.

Con esse cominciò ad insinuarsegli nell'animo il veleno che dalle pagine sublimi del Werther e dell'Ortis si era versato in tutta la letteratura dell'epoca

La sirena del suicidio venne a cantargli nell'animo le sue terribili ed affascinanti canzoni. Accade in questi rabbuiamenti del senso morale come nell'orgie: il ritornello vi trascina.

E il giovine De Emma si trovò una brutta notte a ripeterlo colla passiva incoscienza dell'uomo soggiogato da una fissazione sopra il parapetto del Tamigi.

Pioveva una belletta negra, figlia dei nembi e della caligine delle officine. L'acqua del fiume correva densa, scura, con dei vaghi riflessi plumbei. Scena atta veramente a disgustare del mondo.

Egli diceva fra sè, con tutta calma, che non c'era ragione di rimanervi.

Ma s'ingannava: per sua buona sorte, la ragione ci fu e tale da riconciliarlo perfettamente con la vita.

A sua destra, lontano una cinquantina di passi, le finestre illuminate di una palazzina gettavano sulla superficie liscia, oleosa del Tamigi i suoi riflessi simili a pezzi di tela sudicia.

Subitamente gli colpì l'occhio di sbieco qualcosa di bianco che scendeva tuffarsi là dentro. E, fra lo scroscio sordo e pigro dell'onda e il rombo cupo delle macchine che rantolavano la loro veglia, distinse un tonfo leggiero.

Non ci avrebbe posto mente (aveva ben altro per il capo) se non ne fosse seguito una specie di tumulto nella casa vicina. Si gridava aiuto, accorreva gente con delle lanterne, si staccavano delle barche.

Si mosse istintivamente e discese anch'egli alla riva.

Sul fiume era cominciata la ricerca; tre barche in crocchio scendevano la corrente e, in mezzo ad esse, qualcuno gettavasi a nuoto e tuffavasi: a brevi intervalli, quando veniva a galla, i barcaiuoli gli gettavano dei monosillabi di consiglio, di avvertimento. — Si trattava certo di qualcuno caduto nel fiume

De Emma, in mezzo alla folla raccolta sulla sponda, guardava, aspettava con grande ansieta· avrebbe voluto essere dalla partita di salvataggio.

Cosa strana; il sentimento della vita spento dal tedio della propria esistenza, rinasceva in lui dalla compassione per quell'infelice.

Finalmente una esclamazione venne dal fiume ad annunziare il successo dell'impresa.

Una barca si staccò innanzi alle altre e si avvicinò rapidamente alla riva. Recava il corpo inanimato di una donna.

I barcaiuoli la portarono in una casupola vicina, e chiusero i battenti dell'uscio in faccia alla curiosità invadente della folla

Dopo qualche minuto, un finestrello s'aperse; una voce gridò·

— Un medico!...

— Eccolo, rispose De Emma, che era rimasto là in mezzo.

L'uscio si riaperse e fu introdotto nella camera.

La donna distesa sopra un mucchio di reti non s'era punto riavuta. Egli si assicurò che il cuore le batteva fievolmente.

Era giovane e bellissima: indossava una splendida veste di raso bianco e aveva un stupendo monile di brillanti al collo

Quella brava gente aveva esaurito senza frutto tutti i soliti mezzi empirici per richiamarla alla vita

De Emma si curvò e, posate le proprie labbra sulle sue, con quanta forza aveva nei polmoni inspirò a più riprese nel petto della giovane.

Dopo un quarto d'ora un debol soffio indicò che le funzioni respiratorie si rianimavano.

Due o tre curiosi erano riusciti a penetrare in casa col dottore; mentre egli era curvo intento all'operazione sporgevano il capo sopra le sue spalle per vedere.

Uno di essi, un vetturale della vicina stazione. sclamo:

— Tò la ballerina della palazzina verde.

Qualcun altro confermò le sue parole.

De Emma domandò:

— Sta qui vicino?

— A due passi.

Il luogo non era adatto alle cure necessarie nella crisi che stava per dichiararsi. Per suo ordine i barcaiuoli la presero e la trasportarono in casa sua.

Colà nessuno s'era accorto della sua assenza; un servitore che dormiva in anticamera si alzò in soprassalto e, tutto sbalordito, li guidò nella camera della signora.

Attraversando l'appartamento la triste comitiva si imbattè nel finale di un banchetto d'uomini. Nella sala da pranzo dormicchiavano distesi nella posa di volgari ubbriaconi lords e gentlemens dei più noti del gran mondo.

I meno cotti, all'inatteso spettacolo, pensando si trattasse di una burletta di quella matta di Rosilde, che quella sera li aveva invitati, come diceva il biglietto « all'ultima cena » levarono alte risa e batterono le mani ; e afferrato un candeliere fecero scorta recitando le preci dei defunti.

Figuratevi come rimanessero quando si accorsero che la cosa era pur troppo seria.

Due, che giocavano in un salotto attiguo, assorti nella loro partita non intesero e non videro nulla: nel silenzioso stupore di quel momento si sentivano distintamente le loro irose osservazioni.

Un *reporter* di un giornale del mattino scarabocchiava in un *boudoir* il suo cenno descrittivo. Fu il solo ad afferrar subito il vero: ma, avvezzo per professione a non meravigliarsi di nulla, seguì colla matita sulle labbra il convoglio, ne osservò i particolari, assunse a bassa voce minute osservazioni e tornò tranquillamente a terminare l'articolo, felice di potere nella chiusa impreveduta di esso regalare ai suoi lettori una ghiotta primizia.

Il dottore riuscì non senza stento a congedare tutta quella marmaglia in giubba nera e non permise di rimanere che al barcaiuolo che avea pescata la giovinetta.

Dopo un'ora di sforzi Rosilde cominciò davvero a riaversi. Aprì gli occhi, e al ritrovarsi nella sua camera, fe' una smorfia di disgusto.

Volle sapere come c'era tornata e bisognò contentarla.

Quando il signor De Emma ebbe terminata la sua breve relazione, lei si tolse dal collo il monile di brillanti e porgendolo al barcaiuolo:

— Prendi, spetta a te; io l'avevo portato per chi avesse ripescato il mio cadavere. Tu mi hai servita un po' troppo sollecitamente, — ma non importa, la colpa è dello stupido mio destino.

— Quanto a voi, disse poi al dottore, non vi date troppo fastidio, il miglior servizio è lasciarmi finir presto.

De Emma, nella sua passione di medico, non si sgomentò per questo.

Non vide in lei che un organismo da conservare a dispetto della sua volontà e prese a cuore il suo compito.

Per parecchie settimane fu una guerra continua fra il medico e l'inferma. Egli faceva valorosamente il suo assedio, ed ella, benchè soggiogata da quel fermo proposito, si schermiva con delle segrete astuzie, con delle resistenze dissimulate.

Però la crisi fu più lunga di quello che il dottore si riprometteva: quando credeva d'averla vinta scoprì d'aver di fronte un nemico formidabile. La Rosilde era affetta da un serio male di cuore che il suo tentativo di suicidio aveva aggravato. Era questa la causa della sua disperata risoluzione; la disperazione di guarire l'aveva buttata nelle braccia della morte per finirla colle ansie, colle terribili delusioni di una lenta consunzione, che pareva inevitabile.

Quel giorno Rosilde gli gettò come una sfida queste dure parole:

— Per far tanto armeggio bisognerebbe almeno sapermi rifare questo ordigno guasto. E picchiava coll'indice sul suo seno ansimante per l'asma, eh! che ne dite, patria?

— Lo spero, rispose gravemente il De Emma con una sicurezza che non era punto una simulazione.

— Davvero? ebbene proviamo.

Da quel giorno fu di una docilità assoluta. Ella amava la vita.

Il romanzo della ballerina del Covent-Garden, rivestito di tutte le grazie letterarie dei giornali, corredata delle ipotesi e delle spiegazioni con cui si fabbrica il mistero, menò grandissimo rumore.

Tutti gli amici vennero a trovarla; molte notabilità vollero esserle presentate : ella fu per due mesi
grandemente alla moda. Malgrado il divieto del medico, per due ore il giorno si teneva nella stanza di
lei una sceltissima conversazione.

Un po' la nuova speranza, un po' la cura del De
Emma cominciavano a trionfare del male. La giovinetta rifioriva. Quelli che sapevano della sua malattia
dichiarata incurabile da due celebrità mediche del
paese ne facevano le meraviglie.

Quando essi la complimentavano della sua guarigione, essa rispondeva ·

— Non so nulla io, è tutto merito del mio genio
taciturno.

Voleva dire il De Emma.

Nessuno l'aveva mai veduto.

Qualche volta egli veniva mentre c'era gente: e
la Rosilde s'alzava per ricevere il « genio », di solito rientrando congedava seria seria la compagnia.

Si cominciò a scherzare del misterioso personaggio:
poi ad esserne curiosi.

Il baronetto Mac Snagley aveva un fratello che
soffriva di cuore: pregò Rosilde di presentargli il
suo medico.

De Emma ebbe la sorte di guarire il giovinetto
Arturo Snagley, idolo della famiglia.

La sua riputazione si estese nella alta società di
Londra.

Parecchie altre cure felici finirono per metterlo
in voga.

La sua non era soltanto fortuna. Per il primo
aveva indovinato, allora al tempo delle cliniche di-
rette e operative, l'importanza dell'igiene nella cura
delle lente alterazioni organiche: non violentava il

male, aiutava indirettamente la natura a correggerlo,
a sopprimerlo.

La novità del suo metodo, la gradevole facilità di
eseguirlo aggiungevano attrattiva alla sua assistenza.

Quando venne la primavera Rosilde per suo consiglio affittò un grazioso villino dalle parti di Brighton.

L'aria aperta, la quiete della vita campestre com-
pierono la sua guarigione.

De Emma le rare volte che fu colà a visitarla si
confermò nella certezza di avere rimosso definitivamente ogni minaccia del male. Gli istinti della sua
prima giovinezza avevano ripreso il dominio della
sua vita. Ella ritornava la gaia fanciulla di Castelletto. Aveva stretto relazione con la moglie del
ministro e l'accompagnava nelle sue visite di benefi-
cenza per le capanne dei contadini. Qualche volta ne
invidiava ad alta voce gli uffici. I suoi sentimenti
di donna e di campagnuola vi avrebbero trovato
intera soddisfazione.

Ella e De Emma si dovevano scambievolmente la
vita. In lui i tristi fantasimi del suicidio eransi dis-
sipati dinnanzi all'amore rinato della scienza e alla
fiducia in sè stesso, — a ciò venne dopo qualche
mese ad aggiungersi un alleato anche più poderoso.

Una mattina di estate, all'ora in cui il dottore
era solito ricevere in casa, il servo introdusse un
signore nel quale il dottore ravvisò non senza meraviglia il signor Hutley, il padre di Jenny.

Costui gli tenne questo strano discorso:

— Voi siete un orgoglioso: avete lasciata la mia
casa dove tutti vi volevano bene; ora io vengo
umilmente a pregarvi di ritornare. Zitto, non ricu-

sate, vi scongiuro; mia figlia è malata; voi siete medico, guaritela.

Nessuno seppe mai bene come terminasse questo colloquio; pare che i due si trovassero nelle braccia l'un dell'altro. La stessa scena dovette ripetersi la sera in casa del signor Hutley e c'era presente una giovanetta un po' pallida che singhiozzava di gioia.

Il dottore De Emma sposò poco dopo la sua Jenny; e partì con essa per un viaggio sul continente.

Ma, come dicono i contadini, il Signore non vuole nessuno contento. Furono richiamati tosto a Londra dalla triste notizia che Hutley era stato colpito da una apoplessia. Gli sposi tornarono appena in tempo di ricevere la sua benedizione.

Dopo la morte del padre, Jenny fu colta da una così profonda malinconia che il marito pensò a levarla dai luoghi che le rammentavano troppo vivamente la disgrazia. E Jenny accettò con viva riconoscenza la proposta di venire in Italia.

Il dottore aveva ereditato in Lomellina da un lontano parente una vistosa tenuta; e poichè egli poco ambizioso, tutto assorto negli studi scientifici poco ci teneva alla sua clientela risolvettero di fissare la loro dimora a Zugliano, dove avevano passati i momenti più lieti del loro viaggio di nozze.

Frattanto De Emma aveva, se non dimenticata, almeno perduta di vista la Rosilde.

Solo aveva risaputo ch'ell'era tornata verso il fine dell'estate a Londra ed era risalita sul palco scenico.

Egli si proponeva di recarsi a salutarla prima di lasciar l'Inghilterra ma preoccupato dei preparativi della partenza rimandava di giorno in giorno la visita.

Una mattina, era pressapoco l'anno da quella sera lugubre del loro primo incontro, ricevette l'invito di passare da lei.

La poveretta era ricaduta malata: l'aria pesante di Londra e gli strapazzi del palcoscenico avevano risvegliate le sue sofferenze di cuore.

Il dottor De Emma ebbe rimorso di abbandonare così colei che era la causa di ogni sua fortuna, e si trattenne tutto quell'inverno.

Anche allora egli riuscì a scongiurare la crisi minacciata.

Le sue cure vinsero la violenza del male. Verso il fine di febbraio Rosilde tornò a stare meglio, ma era tanto debole stavolta, tanto sfinita che la convalescenza progrediva molto stentatamente.

La rigidezza del clima la teneva in continue oscillazioni. Il dottore pensava con viva inquietudine ai venti e alle pioggie del marzo imminente. Una settimana di tempesta poteva uccidere l'inferma.

Allora egli suggerì il ritorno in Italia. Rosilde non disse nè sì nè no, ma non si decideva mai.

Il dottore indovinò il segreto motivo della sua esitanza.

Ella non aveva più parenti all'infuori di Mansueta che stava a servire dal curato di Sulzena: la malattia aveva esauriti quasi interamente i suoi risparmi. In Italia come e dove avrebbe vissuto?

Il dottore ne parlò a Jenny, le ricordò le obbligazioni ch'egli aveva alla Rosilde, gli confidò il suo stato e la pregò di trovar modo di aiutarla.

La giovine sposa, buonissimo cuore, interpretò rettamente e liberalmente il suo desiderio. Si recò essa stessa dall'inferma e tanto fece e tanto disse che l'indusse a seguirli in Italia.

Per qualche mese le cose andarono a meraviglia,
l'accordo delle due giovani pareva perfetto ; quando
Rosilde parlava di partire i signori De Emma le
davano sulla voce, ed ella messi da parte i pensieri
dell'avvenire accettava con gioia la generosa ospitalità

Ma, dicono i montanari, due galli in un pollaio,
due donne in una casa non fanno il paio

Il sereno non tardò ad intorbidarsi.

Colla salute rinverdiva la mirabile bellezza di
Rosilde: la sua fisionomia vivace, espressiva, gareg-
giava vittoriosamente colla figura forse un po' tranquilla di Jenny. Tutti ne parlavano in Zugliano e
nei dintorni; facevano dei confronti, aggiungevano
delle supposizioni che appunto per il loro carattere
di maldicenza trovavano larga e pronta accoglienza.

Qualche ciarla cominciò a salire fino all'orecchio
della signora De Emma.. Ella cominciò a dubitare,
poi a sospettare.

Il sospetto è un miraggio che ha l'aria di una rivelazione. Tutte le cose pigliano attraverso a quello
un'apparenza menzognera che, per disgrazia, è più
verosimile del vero, s'incontrano in una logica più
stretta perchè più artifiziale della realtà.

La effusione tutta italiana con cui Rosilde mani-
festava al dottore la propria riconoscenza, parve a
Jenny, più contegnosa, l'espressione di un sentimento
più caldo e meno lodevole.

Essa vide in lei non già una rivale, ma una minaccia al suo avvenire, alla tranquillità della casa;
e la sua amicizia per Rosilde al soffio gelato della
gelosia inaridì.

Tuttavia non trascese in volgari ostilità : dissi-
mulò nobilmente il suo sospetto, il suo timore, tutto,

fuorchè una cosa, la sua freddezza. Ma questa bastò a Rosilde per indovinare tutto il resto.

La triste scoverta la fè pensare ai suoi casi, alla precaria sua condizione, all'incerto avvenire, ma sovr'ogni altra cosa all'umiliazione di essere a carico de' suoi ospiti. A tutta prima ella, come poi confessò al dottore, ebbe un accesso di odio per colei che coi suoi sospetti veniva a turbar la sua quiete: ma si persuase poi che la signora De Emma aveva ragione. Rosilde era innocente: aveva invidiata la felicità della casa in cui era stata raccolta ma l'aveva rispettata: non mai il suo cuore erasi aperto a delittuosi desideri. Voleva bene al dottore come ad un amico, ad un fratello maggiore com'egli si mostrava con lei: i loro caratteri entrambi risoluti, franchi, fieri non eran fatti per amarsi diversamente. L'amicizia si contenta spesso della somiglianza, l'amore esige quasi sempre l'antitesi dei caratteri; cerca l'armonia nelle differenze. Per invaghire un'indole così vivace e quasi virile come quella di Rosilde ci voleva un animo più tenero, più pieghevole, direi quasi più femmineo

Ella deliberò di lasciare senz'indugio la casa De Emma e annunziò a tavola il suo divisamento senza preamboli, senza mezze confidenze, senza misteriose titubanze a tutti due i suoi ospiti insieme: disse che Mansueta l'aveva invitata a passare qualche tempo con lei e che intendeva recarsi a Sulzena l'indomani, — così senz'altro. Poi, con singolare tristezza, sorridendo, mutò discorso risparmiando al dottore l'imprudente ingenuità di farle delle preghiere e alla signora l'impaccio di nascondere la sua soddisfazione. Con lei si mostrò gentilissima, serena, volendo dissipare in lei persino l'ombra del dubbio.

Questa fu la sua vendetta. Jenny ne fu commossa. Nel congedarla il giorno dopo non potè esimersi dal dirle:
— tornerete?

Rosilde le rispose . — A salutarvi. Molto probabilmente io lascierò di nuovo l'Italia. E le strinse la mano perfettamente tranquilla.

Il dottore s'era accorto all'ultimo delle inquietudini della moglie e, contentissimo di essere liberato da una posizione molesta, si guardò bene dal rattizzarla con delle imprudenze. Riconoscente di tutto cuore a Rosilde della sua discrezione, finchè ella rimase a Sulzena, non cercò una volta sola di vederla.

La ritrovò una sera per caso in quelle circostanze strane descrittemi dallo speziale.

La povera giovine sorpresa nel proprio segreto gli contò allora la sua vita degli ultimi mesi, un romanzo di trista e funesta dolcezza. L'infelice s'era lusingata di tradurre in pratica il suo sogno di Brighton.

La quiete del Presbitero l'aveva sedotta, ammaliata il carattere timido, pensieroso e malinconico di Don Luigi, allora giovane di aspetto e di forze malgrado i suoi quarant'anni sonati.

Per certe donne l'amore non è che una forma più squisita della compassione : danno il loro cuore per un sentimento affine a quello per cui si farebbero suore di carità.

Rosilde era di questi caratteri che pensano sempre agli altri e mai a sè stessi, che si guardano ansiosi intorno per trovare se c'è persona da soccorrere, da consolare e si feriscono spesso a morte per risanare il primo capitato da una scalfittura.

La triste solitudine di quest'uomo così buono , così degno d'affetto la commosse.

Ella non dava per sè stessa una grande importanza alle passioni amorose, ma come la madama Warens di Rousseau, e come la maggior parte delle donne, credeva che gli uomini non potessero farne senza, e veramente gli uomini che ella aveva incontrati, il mondo corrotto in cui aveva vissuto non potevano darle una più retta opinione.

Perciò le pareva di scorgere nella vita di don Luigi un vuoto doloroso.

Ella, così pronta a sacrificarsi senza chiedere ricambio, non capiva che si potesse fare di un'idea, di un sentimento soprannaturale l'interesse massimo della vita. Gli è che il suo cuore arrivava molto più in alto della sua mente incolta.

Quando ella, nascosta dietro le stecche delle persiane o fra i cespugli del giardino, vedeva don Luigi appoggiarsi meditabondo al muricciuolo dell'orto, e là rimanere immobile per dell'ore colla fronte corrugata, gli occhi fissi alle cascatelle del torrente: poi levarsi repentinamente e passeggiare e poi fermarsi di botto e riprendere a camminare a passi ineguali, — ella s'immaginava che fossero le torture di un'indole passionata costretta a ripiegarsi dentro di sè.

Ella non aveva torto interamente. La gioventù, ingagliardita dal lungo ritegno, tentava allora l'ultima e più formidabile ribellione contro le rigidezze del povero prete, mascherando i suoi assalti con quel misticismo, — potente e fuorviata sensualità delle indoli caste, — il quale penetra l'umana natura nelle sue più intime fibre, e la colpisce nell'arcano principio onde si congiunge l'elemento morale colla materia.

Don Luigi attraversava quella crisi in cui il senso aggredisce la volontà violentemente, all' improvviso senza più avvertirla colle tentazioni, — e riesce spesso a sopraffarla.

Egli andava inconsciamente contro il pericolo, dissimulato dai sintomi più diversi e più lontani.

Sentiva un grande distacco dalle cose terrene, una stanchezza scevra di desideri, — eppure egli non era mai stato così debole di fronte ai piaceri mondani: non li temeva, perciò non stava in guardia.

Così è, quando il vapore aderge troppo alto si scioglie e precipita nel rigagnolo.

Qualche volta Rosilde sbucava fuori dal suo nascondiglio e andava raccogliendo fiori, camminando dall'una all'altra aiuola queta e silenziosa, come le premesse di non frastornar le sue meditazioni.

Egli non tardava a scorgerla. Non l'evitava punto; la seguiva placidamente cogli occhi; guardava la sua manina bianca passar coll'agilità di una farfalla dall'uno all'altro cespo fiorito a farvi la sua preda, senza neppur farne cadere una stilla della rugiada che ne imperlava le fronde.

Di solito se le accostava lentamente, e, mentre essa componeva ghirlande e mazzolini per l'altare, avviava con lei, senza sforzo, la conversazione.

Parlavano dei fiori, del paese, ma nei discorsi più indifferenti trapelava l'alto pensiero di lui, il sentimento vivace di lei.

Così poco alla volta, quel loro mattutino colloquio divenne una necessità della loro vita. Rosilde non mancò più di farsi trovare in giardino; e Don Luigi ci si recava dopo la messa inconsciamente per una abitudine che non gli costava nulla e gli era molto più cara che non credesse

Rosilde era uno di quegli eccezionali temperamenti
di donna che, per la loro ventura, il poeta e il filo-
sofo, — questi ossessi dell'idea e dell'immagine, —
dovrebbero trovare sempre sull'aspro cammino della
loro vita cogitabonda. Indoli fatte per riconoscerne,
per ammirarne più che per capirne la superiorità,
per tollerarne con pietosa e quasi inconscia abnegazione le debolezze, vigilanti alla felicità dell'uomo
distratto dalle alte cure, pazienti ad attenderlo, sol-
lecite ad aggiungere olio alla lampada della loro devozione come le vergini dell'evangelo.

Nei primi giorni che ella passò al presbiterio malata, sfinita di cuore e di forze ella non vedeva Don
Luigi che molto raramente; ma sentiva intorno a
sè, in tutte le cose, la carità benefica delle sue premure, la sua pietà nobile, generosa, schiva di mo-
strarsi.

Ad ogni momento Mansueta le usava qualche riguardo, qualche nuova cortesia, — e sempre ne
attribuiva il merito al padrone: — don Luigi così ha
detto, don Luigi ha pensato, don Luigi ti manda
questo e quest'altro.

Ell'erasi così bene avvezza alle dolcezze di quella
casa che il pensiero d'uscirne la sgomentava tutta.
Però quando, convalescente, ella venne a ringraziar
don Luigi, comprendendo che per discrezione dovea
prendere finalmente congedo, tremava e i suoi occhi
erano assai più fecondi di lagrime che le sue labbra
di parole. Ma il buon prete alle prime parole di riconoscenza la interruppe; il suo viso pallido arrossì
subitamente dalla commozione, e scotendole la mano:

— Che dite mai, che dite mai.... un piacere, un
dovere....

Rosilde ebbe la soave, intima certezza che la sua presenza colà non era molesta, e non finì il discorsetto preparato e incominciato.

Don Luigi aveva soggiunto:

— Che volete, siete capitata in un eremo, e in un brutto mese; ma ora viene la bella stagione e vi ci troverete molto meglio: non manca in questa solitudine una certa selvaggia bellezza: vedrete dei luoghi di una singolare amenità.

La giovinetta accolse queste parole con un sorriso di gratitudine, come la più cortese maniera d'invitarla a rimanere. Ma forse il sentimento che le inspirava era ancora più nobile.

Ho dovuto convincermi per esperienza che don Luigi non pensava mai alla partenza dei suoi ospiti. La loro domanda di congedo era sempre per lui una sorpresa che, secondo i casi, combatteva con una viva e affettuosa resistenza, o. come nel caso mio, subiva come una triste necessità.

Ella rimase dunque. Ispirata dalla calda sua riconoscenza, dalla indipendenza del suo carattere e della sua educazione bizzarra. si convinse che non solo era di troppo, ma poteva recare qualche conforto a quella malinconica vita di anacoreta. Ed aveva istintivamente abbracciato, prima che compresa la sua missione: — umile e sublime missione!

Il suo mestiere l'aveva avvezza a riguardare sè stessa come un giocattolo: come uno svago, — ed ora, dopo aver rallegrato colle sue danze le noie di tanti oziosi e buoni a nulla, le pareva di nobilitarsi col fare omaggio di sè stessa a un uomo di merito e di cuore. ad uno che l'aveva ospitata. che le aveva usato riguardo senza esservi spinto nè dalla concupiscenza nè dalla vanità

Però fu con viva gioia ch'ella si accorse d'essergli cara.

Ciò bastava al suo orgoglio e non aveva la pretesa nè di dare, nè di ottenerne amore. Era troppo modesta per questo.

Certo ella non scandagliava troppo in fondo i proprii sentimenti, non notomizzava con analisi soverchiamente rigorosa l'effetto che produceva nel suo cuore lo sguardo affettuosamente grave di don Luigi, il suo viso allora giovanile e incorniciato da ricche ciocche ricciute di capelli nerissimi.

Ella ci teneva a non farsi illusioni, — e forse questa sua modesta smania di realtà era la più grande, la più generosa delle illusioni.

Però ella non la smentì mai neppure con sè stessa; se i desideri, i timidi suggerimenti del suo cuore si levarono alla fine contro di essa per dissiparla, — ella seppe vincerli, frenarli, farli tacere.

Ella non pensò mai a calcolar sull'avvenire di lui e del presente non prese mai che le ore di riposo: e quando si avvide che ella poteva influire sul suo destino, nuocergli, ebbe il coraggio di....

Ma non precipitiamo gli avvenimenti.

Rosilde e don Luigi si vedevano dunque regolarmente tutte le mattine.

A quell'ora, dopo la messa prima, si faceva nel Presbiterio e nel villaggio una gran pace. Il campanile dopo aver confidato agli echi della montagna i suoi squilli di benedizione taceva. Baccio, svestito, coll'abito di sacrestia, il sacro carattere delle sue funzioni, usciva in campagna con tutta la sua famiglia. Mansueta attendeva al governo del suo pollaio: governo assoluto, personale, faccenda di colossale importanza.

Essi rimanevano soli in mezzo alla vasta e gioconda quiete mattinale Era giunta la primavera. L'aria olezzava di primolette e di viole Nei campicelli scaglionati sui clivi, una verzura pallida annunziava colla lirica verginale delle sue tinte delicate l'epopea splendida delle spighe d'oro.

In tanta gloria di cielo, in tanta serenità di paesaggio, i loro colloqui erano tutti tranquilli e lieti.

Quantunque Rosilde avesse per don Luigi un grande rispetto, l'umiltà vera di lui, la sua repugnanza per ogni apparato, per ogni posa anche la più legittima della sua dignità, davano alla conversazione un tono perfetto di uguaglianza. Schivo di tutte le affettazioni. egli non la chiamava mai figliola e. neppure sorella. diceva senz'altro Rosilde.

Egli, come io stesso ne feci la prova molti anni di poi, era anzi istintivamente disposto a riconoscere una certa superiorità nella gente che avesse vissuto nella città. L'attrattiva del mondo era allora anche più possente sulla fantasia dell'anacoreta. Riguardava con uno sgomento d'ammirazione quella debole giovinetta che aveva da sola attraversata quella vita che gli ascetici suoi maestri gli avevano paurosamente descritta come un vortice divoratore.

Era una delizia inenarrabile il sentirla parlare dei suoi viaggi e Rosilde, vedendo che ciò lo divertiva, gliene parlava sovente.

Poco alla volta il racconto della sua vita teatrale venne a frammischiarsi ai discorsi placidi dei primi giorni, e ad interromperli sovente.

Don Luigi, affascinato, si dimenticava; si avvezzava senza volerlo. senza accorgersene. a carezzare col pensiero. sulla fronte bianca sulle treccie bionde, sulle labbra rosee della bella narratrice. le malie.

gl'incanti ch'ella gli suscitava colle sue parole dinanzi alla mente. Se qualche volta, sopraffatto dalle immagini lusinghiere, chiudeva gli occhi, riaprendoli trovava dinanzi a sè il sorriso sereno, soave di Rosilde. E, infine, sorrideva egli stesso, — e, in quel momento di debolezza, egli era vinto; il suo cuore, colto alla sprovveduta, cedeva al fascino di quella bontà e di quella bellezza.

Nè l'uno nè l'altro aveva pronunziato mai la parola fatale; eppure l'idillio era incominciato: — e la passione per un sentiero sparso di fiori, molle di muschi trascinava la loro innocenza nei suoi abissi profondi.

Oh se i loro cuori avessero conosciuto le cose per il loro vero nome: se l'amore non si fosse celato per lei sotto le sembianze della devozione, e per lui sotto quelle più candide dell'amicizia, nulla sarebbe accaduto.

Se don Luigi avesse dovuto lottare, o anche solo formulare un'aspirazione, un desiderio... egli avrebbe arretrato impaurito; la sua volontà allarmata avrebbe vinto. Ma nulla di tutto questo. Ella offriva, egli non aveva che a chinarsi per accettare.

XXVIII.

A questo passo il mio amico ed io ci guardammo l'un l'altro ad un tempo e un sentimento di incredulità e di sorpresa dovette trasparire dai muti volti, poichè il dottore soggiunse con maggior calore:

— È strano; ma è così. Vorrei trasfondere in voi la metà della convinzione profonda che il racconto di Rosilde mi ha dato. Vorrei riprodurre un'ombra di

17*

quella sua eloquenza che un affetto senza limiti le
ispirava. Ella, la poveretta, sapeva confessare la sua
colpa e giustificare nello stesso tempo Don Luigi. Dimenticava il proprio pudore per difendere il suo e ci
riusciva. Mi narrava minutamente tutte le soavi e
tristi scene del suo amore per farne risaltare la innocenza, la purezza sopraffatta ma non vinta di lui. Ella
aveva avvertito gli ostacoli che le condizioni, i pregiu-
dizi del mondo, gli anatemi della religione metteva fra
loro due: ella s'era tolto il compito di spezzarli da
sola; di sfidare ella sola il biasimo, le convenzioni, di
commettere da sola il sacrilegio, se sacrilegio c'era:
— insomma poichè l'amore doveva costare una colpa
— ella volle prendere su sè stessa la colpa — dargli
l'amore. — prevenendo la sua coscienza, aveva creduto evitargliene i rimorsi. — Io vi dico che quello
era un gran cuore, e che il suo era un errore sublime.

Il signor De Emma pronunziò queste parole con
forza e ci guardava colla sicurezza di chi intende
d'essere creduto — e noi due chinammo assenzienti
la fronte.

Il dottore ripigliò:

— Il suo era l'amore meno l'egoismo — L'idillio
progrediva rapidamente. Tuttavia finchè non uscì
dalla cornice di austera realtà del presbiterio, esso
rimase sempre così sereno ed innocente. Don Luigi
non sarebbe mai venuto meno alla severa illibatezza
del suo costume là all'ombra del suo campanile, accanto al suo altare, dove tutto gli rammentava i
doveri che la sua coscienza gli rappresentava invio-
labili.

Del resto egli non desiderava o non sapeva di desiderare; le gravi occupazioni che venivano ad in-

terromperlo lo premunivano contro gli eccessivi abbandoni.

Ma egli usava passare qualche ora del pomeriggio nella solitudine tanto cara della Carbonaia che forse voi conoscete. E Rosilde cominciò a seguirlo colassù. Egli non fu sorpreso di trovarla in quel soave rifugio dove egli dava da quindici anni convegno ai sogni della sua gioventù; e si abbandonava alle vaghe carezze della fantasia. La fantasia fu la galeotta. Egli non seppe mai bene ciò che gli accadesse colà. La realtà si perdette nei limbi profondi di un misticismo inebbriante. Il pietoso inganno per cui la povera Rosilde fe' sagrificio di tutta sè stessa, non sarebbe mai svanito se non erano gli sciagurati avvenimenti di questi giorni.

I loro ritrovi, liberi di ogni estraneo ritegno, presero una intonazione assai più ardente. Quando Rosilde arrivava per sentieri remoti e veniva a sedersi presso di lui, spesso chinava il bel capo sulle sue ginocchia e passavano delle ore in silenzio, oppure ella narrava del teatro, gli raccontava le favole da lei eseguite. Una fra l'altre aveva la preferenza. Quella del poema di Guarini, che era stata la sorgente del suo primo successo a Venezia. Ella si godeva di ripeterne le scene gentili: di fingersi Silvia e chiamare Aminta il suo compagno.

La funesta fantasia la sedusse al punto che un giorno tirato fuori dal suo baule il costume in cui aveva sostenuta la parte della ninfa — ella lo teneva sempre come ricordo — lo recò alla Carbonaia prima dell'ora del ritrovo, e indossatolo quando Luigi venne a sedersi sotto le quercie centenarie, ella sfilò in mezzo alle macchie, e gli si presentò in quella foggia, col gonnellino azzurro, i biondi capelli intrecciati di

rose bianche e coperti di un lungo velo sottilissimo,
bella, affascinante, smagliante di amore.

Al povero uomo parve una visione, egli cadde sbalordito, delirante ai suoi piedi.

Da quel giorno essi non vissero più su questa
terra.

In casa non si incontravano quasi più. Rosilde,
per convenienza non erasi mai seduta alla mensa
del presbiterio. Ella evitava con cura di lasciarsi
trovare in giardino· temeva i confronti, voleva che
la sua gioia fosse fuori della vita, lontana dal reale,
immensa, senza limiti. E tal fu per due mesi, in cui
il povero Luigi spesse volte si sentì venire meno
dinanzi all'altare e visse come rapito in un sogno.
Egli non viveva più veramente che alla Carbonaia,
dove dimenticava la vita, dove obblioso del suo cielo
muto, impassibile egli trova un paradiso di delizie
ardenti.

La povera Rosilde fu la prima a risvegliarsi — e
pur troppo toccò a me il tristo ufficio di richiamarla
alla triste realtà.

Un giorno ch'io mi recavo al Fontanile la incontrai per istrada· dapprima parve volesse cansarmi,
— ma poi mi venne incontro ella stessa e mi accompagnò per un buon tratto Le chiesi della sua salute
con premura.

— Benissimo, rispose, ma impallidì un poco

L'esaminai attentamente, le feci qualche altra interrogazione.

Sembrava avesse a dirmi qualcosa e non ardisse.

Allora presi il suo polso fra le mie mani, la co-
strinsi con delle violenze a levare la fronte, le fissai
uno sguardo penetrante negli occhi Una febbriciuola

le serpeggiava per le vene: le sue palpebre avevano
dei toni lividi.

Il mio sospetto si mutò in certezza.

— Povera amica mia, sclamai con accento di dolore e di sorpresa.

Ella capì, diventò smorta come fosse di cera e
mormorò:

— Lo sapevo...

Mi parve intravvedere nel tono della sua voce subitamente risoluta, una così profonda disperazione
che mi sgomentai e per un pezzo non seppi trovar
parola.

Ma quando ella mi porse la mano per congedarsi
le dissi con tutto il calor dell'amicizia ch'io avevo
per lei:

— Rosilde, badate ad avervi cura... promettetemi
di aver confidenza in me. Qualunque cosa vi occorra
— ricordatevi del vostro amico. — Io ripasserò a
prender vostre nuove.

Chinò il capo distrattamente e ritornò indietro
frettolosa.

Due giorni dopo ripassai da Sulzena e chiesi di
lei: era sparita.

Ma prima che la settimana finisse una sera per
un caso stranissimo, fui dal sospetto di un tentativo
funesto condotto in una casupola del sobborgo qui
di Zugliano e vi ritrovai Rosilde.

Ella s'era posta nelle mani di un'empirica per
troncare le conseguenze del suo fallo.

La rampognai vivamente. Ella per un po' stette
chiusa, negò, ma le vedevo la triste risoluzione negli
occhi.

Mi incollerii e mi lasciai sfuggire qualche parola
contro Don Luigi.

Allora, vedendo che io conosceva il suo segreto, mi si buttò piangendo ai piedi, e mi scongiurò di non tradirla, di rispettare la pace dell'uomo per cui ella stava morendo.

— Egli non sa nulla, mi disse torcendosi le mani, non sa nulla..... io sola..... io sola.....

E la piena della emozione le mozzava le parole.

Era angosciata; le chiesi perdono, la levai da terra, cercai di calmarla, di dissipare i suoi timori, di farle coraggio, di prendere con leggerezza la cosa.

— Giuratemi, disse, ch'egli nè altri non sapra mai nulla.

La guardavo sorpreso.

— Ella mi afferrò le mani e mi guardò supplichevole in modo ch'io mi affrettai a prometterle tutto quel che voleva.

Sedette, chinò la testa stanca sul petto ansante e pianse lungamente, angosciosamente.

Mi alzai.

Ella si riscosse, e mi pregò di rimanere.

— Debbo dirvi, soggiunse, com'è stato, voi non dovete sospettare che di me...

Allora ella mi narrò le deplorevoli vicende che erano seguite dopo il nostro ultimo colloquio sulla strada del Fontanile

Già da alcuni giorni ella aveva avuto presentimento della disgrazia. Le mie parole le avevano tolto le ultime illusioni.

La buona creatura, al primo affacciarsi della terribile certezza, aveva subito pensato: — che si dirà di lui?

Ella non si inquietava di sè, della sua vita, della sua salute, ma della riputazione di lui — povera martire!

Ella che aveva voluto dargli la gioia, si trovava repentinamente di fronte alla probabilità di nuocergli.

Questo pensiero la disperava. Ella fargli del male? ella rovinarlo? — lo vide colpito dalle dicerie dei malevoli, dallo scandalo, dalle condanne della disciplina ecclesiastica, che si immaginava crudele, implacabile, e disse a sè stessa: — orsù, tu hai fatto il male, e tu devi scontarlo: ma come? Il come si affacciò con una orribile limpidezza alla sua mente: sparire colle prove che accusavano il suo Don Luigi.

— Ella non arretrò: — ebbene, disse colla calma della disperazione, sparirò.

Ma per lei, senza mezzi, in quello stato, sola al mondo, senz'altri parenti che la Mansueta, la quale non doveva saper nulla, lo sparire, equivale a morire. Vide la necessaria conseguenza della risoluzione e l'accettò tutta quanta. Riunì le sue robe migliori e venne a Zugliano, si pose in casa di una lavandaia che aveva conosciuto quando stava qui con noi.

Ella era risoluta di morire — ma non poteva andare lontano, eppoi temette che il suicidio non facesse rumore, e questo ella non voleva per niun conto. Così si apprese al mezzo che mi condusse a scoprire il suo rifugio.

Io cercai di confortarla dicendo che si sarebbe potuto riparar tutto, evitare i sospetti. Ella non vi pensava; ma mi ringraziava e mi scongiurava: — fatelo per lui — egli è innocente... io sola... io sola...

Venni da lei qualche volta nei giorni seguenti, — ma dovevo usare molte precauzioni per non suscitar le ciarle così micidiali della provincia.

E una sera non la trovai più. La donna che l'aveva ospitata mi disse che era andata con un uomo di cui non mi volle dire il nome.

Seppi poco dopo ch'ella viveva quasi matrimonialmente col De Boni in una cascina poco lontana di qui e che non faceva mistero alcuno della sua sciagurata condizione.

A tutta prima questa notizia mi rivoltò contro di lei, e mi ispirò dei giudizi che poveretta non meritava davvero... ma il cuore mi diceva che Rosilde non era la donna volgare che allora sembrava a tutti, che nella sua repentina arrendevolezza ci doveva essere un perchè non ordinario, — mi diceva il cuore che doveva essere qualche nuovo sagrifizio. Diffatti!.....

Io non potevo per diverse ragioni approfondire la cosa: fra l'altre il timore di adombrare il De Boni, così permaloso. Ma circa sette mesi dopo venne egli stesso a cercarmi e mi condusse nella stamberga dove aveva nascosto, come un lupo la sua preda, la povera Rosilde e dov'ella era agonizzante.

Egli mi fè visitare la donna e s'informò da me minutamente del suo stato e delle origini di esso. Mi tenni sulle generali — uno sguardo supplice dell'inferma mi aveva messo sull'avviso.

Tornai da solo l'indomani.

Appena mi vide mi trasse vicino e mi disse sommessamente:

— Son sicura che voi non avete detto nulla al De Boni: ma perdonatemi, ho bisogno che me lo promettiate solennemente... egli deve credere quello che voglio io.....

Mi ritrassi vivamente e la guardai con isgomento. Avevo intravveduto il suo disegno. Frode orribile ed ammirabile! La sua abnegazione mi schiacciava; non sapevo se doveva rimproverarla o benedirla. Era una cosa enorme.

Ella aveva trovato sette mesi prima, mentre dimorava dalla lavandaia, il De Boni un giorno che errava forsennata per la campagna cercando con continua e disperata cura una morte certa e completa. L'omaccio l'aveva perseguitata altra volta e qui, quando stava con noi e a Sulzena dove si recava tutte le settimane. Egli aveva per lei una di quelle sue feroci concupiscenze che sapete per il caso della povera Gina. Il luogo era solitario.

Quella bestiaccia si lanciò su lei, le attenagliò il braccio e le disse balbettando:

— Bella ragazza, lasciate ch'io vi faccia un bacio.

Rosilde alzò di terra il suo occhio smarrito e rispose con un'occhiata — un'occhiata aguzza di lince alla sua d'orso furioso.

Un pensiero, tutto un progetto le si era affacciato alla mente ad un tratto. Per sopprimere i sospetti sul fatto di Don Luigi, ella meditava di uccidere sè stessa; ora aveva trovato un mezzo più sicuro; uccidere la sua riputazione. La maldicenza che avrebbe cercato i motivi del sagrifizio, sarebbe indotta nell'inganno dalla finta dissolutezza.

Per questo ella aveva quasi ostentata la sua relazione col De Boni. Chi può sapere quel che l'infelice abbia sofferto in quei mesi! Fissa nel suo divisamento essa non tentennò un minuto: i maltrattamenti dello sciagurato non valsero a smuoverla; anzi servivano di scusa alla sua frode, a darle un acre sapore di vendetta. Ella persistette sino alla fine, fino alla morte... Era riuscita ad acquistare una certa influenza su quella belva; a dominarlo ad intervalli col desiderio. E se ne giovò per strappargli delle confessioni scritte di una paternità supposta. Quando egli andava a Sulzena, gli scriveva fingendo una subita disperazione del suo stato ed esprimendo l' intenzione di sottrarsi alla vergogna di cui mostrava grande paura. Egli, imprudente, che non poteva rassegnarsi a perdere quest' insperata avventura, le rispondeva qualche volta ed ella conservava le lettere.

S'era informata e sapeva che potevano servire come principio di prova legale.

Quando ebbe finito il suo racconto, il sentimento del giusto si sollevò in me.

— Rosilde, amica mia, le dissi con una certa severità, quel che fate non istà bene, e io non posso in coscienza farmi complice vostro.

Il suo viso si contrasse paurosamente, — il pensiero ch' io potessi distruggere l'edifizio con tante pene innalzato, la mise alla disperazione.

Mi guardò cupamente e disse:

— Ebbene io mi ammazzerò e finirò ogni cosa...

E alzatasi repentinamente con una vivacità di cui non l'avrei creduta capace, sbattè il capo nel muro due o tre volte prima ch' io potessi trattenerla.

Riuscii, con stento, a calmarla. È inutile dire che le giurai di tacere.

Però qualche ora dopo, cercai d'intenerirla con altre ragioni: le parlai della creatura che stava per nascere: le feci presentire ciò che avrebbe avuto a soffrir dal De Boni a cui ella lo imponeva.

Strano! ella non aveva mai pensato al frutto delle sue viscere!

Fu tocca dalle mie osservazioni: — si raccolse dolorosamente; lagrime cocenti le sgorgarono dagli occhi.

Ma subitamente si rasserenò e mi disse:

— Ebbene voi siete buono, ci penserete un po' voi a difenderlo.

Fu la prima volta, credo, che parlasse di suo figlio che nacque quella sera stessa. Ma in quegli ultimi giorni della sua vita se ne occupò assiduamente e lo raccomandò a me ed alla Mansueta che le avevo condotta.

La vigilia della morte, disse a Mansueta di porgli nome Aminta, nell'agonia essa pensava ancora alla Carbonaia!

Volle rivedere Don Luigi: il suo occhio moribondo si spense in uno sguardo di amore per lui!...

Il dottore fu ancora lui a rompere il silenzio e disse ad Attilio:

Signor avvocato, se avesse veduto la Rosilde in quei tali momenti avrebbe promesso come me di non funestare la vita dell'uomo ch'ella ha tanto amato. Quanto a Don Luigi è superfluo dirle che egli, appena sospettò i vincoli che lo legavano ad Aminta mise a repentaglio la sua pace, per sottrarlo alle torture del De Boni.

Attilio era commosso quanto me. Egli disse che era persuaso e che non avrebbe tenuto conto della calunnia del Sindaco.

Io partii quella stessa sera per Milano e l'indomani cercai un avvocato per il povero Beppe.

Il dibattimento si fece due mesi dopo alle Assise di Novara, ed io assisteva.

Beppe fu assolto.

Quando lo rilasciarono in libertà, gli andai incontro gli chiesi:

— Non siete contento?

— Non so cosa mi faccia, rispose, non ho più nessuno... e si guardava attorno smarrito, come un uomo che non sa raccapezzarsi a vivere.

Partì quella stessa primavera per l'America e non seppi altro di lui.

XXIX.

Passarono parecchi anni: ed io pure alle volte dimenticai i miei amici di Sulzena e di Zughano

Un giorno che passavo da Varallo, mi prese ad un tratto un ardentissimo piacere di rivedere quei luoghi, di ricercarvi un po' di quella gioventù che mi è fuggita tanto presto. Illusione da cui io mi lascio spesso sedurre, triste illusione, che senza darmi la gioia passata mi fa sempre sentire più grave il tedio presente

M'inerpicai ancora per quelle care pendici, non mi accompagnava più il buono, il baldo angelo della speranza, ma il mesto rapsode del ricordo e del rammarico mi spingeva frettoloso ed impaziente alla meta. Non avevo più meco la cassetta dei colori; da molto tempo non guardavo più intorno a me, ma frugavo dentro di me, nel cuore, a ricercarvi alcune rime, alcune strofe dimenticate, feccia umana del generoso liquore che un di in me traboccava.

Quando fui al guado dello Strona, un tristo pensiero mi colse

Le case di Sulzena apparivano biancheggianti al sole meridiano — il campanile suonava l'*Angelus* del mattino, — ma quel paesaggio mi sembrò meno lieto di quando l'aveva contemplato al raggio del tramonto.

Dicevo fra me: — li troverò ancora? e in quella piena subitanea d'affetti io mi chiedevo sorpreso come avessi potuto passar dieci anni senza informarmi di quelle persone di cui nutrivo ora un così vivo desiderio. L'animo ha i suoi abissi come lo Strona che a quel punto si profonda nelle viscere del monte per riapparire più giù, passa anch'esso per delle gallerie sotterranee di tenebre, di frastuono, di tedio dove la luce degli affetti e delle memorie gentili non penetra mai.

Divorai l'erta come un soldato che corre alla carica, preparato a veder cadere ad una ad una le mie belle memorie.

Entrando in paese posi il piede in un motriglio che mutava buona parte delle straduccole in un rigagnolo. L'acqua discendeva dalla piazza, dalla fontana e, a giudicarne dal color verdastro di certi sassi, chissà da quanto tempo.

— Ohimè, gemetti, *neanche* Baccio non c'è più!

Difatti quando passai accanto alla vasca, vidi che l'acqua ne sgorgava da una grossa fenditura della pietra. Proseguii, attraversai per lungo il villaggio e sbucai sul sagrato; rividi il dolce pendio erboso, i sedili scavati nel masso, e le quercie fronzute li ombreggiavano come una volta. Ma la chiesetta aveva nascosto la sua venerabile facciata bruna sotto un orribile e volgare intonaco di calce su cui i monelli del paese tracciavano già sgorbi inverecondi.

Ventrai: un ponte ingombrava mezza la navata; ritto sovr'esso un imbianchino gettava colla sua scopa, delle grandi spalmate di gesso e latte sui vecchi affreschi e cantava a mezza voce una canzonaccia profana.

Ero capitato proprio in mal punto; pure non mi fu discaro di salutare ancora una volta una mirabile barba di padre eterno che mi aveva occupato moltissimo al tempo della mia prima visita. Quando fu scomparsa entrai nel *Sancta sanctorum* e di là girai intorno all'altare e passai nella sacrestia.

Non c'era nessuno.

Mi affacciai alla porticina che dava nel cortile del presbiterio; anche là c'era del nuovo: un grosso e tozzo pollaio ingombrava l'angolo tra la stalla e la cucina. Invece di quell'aspetto armonico di modestia, un non so che di gretta opulenza.

La porta del giardino stava spalancata, ma il giardino era scomparso. I cavoli e le patate occupavano le aiuole, appena qualche scarduffiato cespo di rose, mozzo dalla marra barbara dell'ortolano, le foglie rose dai bruchi, intisichiva sul terreno ove la sua razza aveva regnato.

Nel cortile passeggiava un prete leggendo il suo breviario: ravvisai tosto Don Sebastiano: la sua faccia non aveva mutato gran fatto; era diventato più scuro, più terreo. S'interrompeva per dar qualche ordine: ed accorreva una giovane tarchiata montanara dalle braccia e dal viso rossi come di terra cotta.

Avevo visto abbastanza e capito anche troppo.

Scappai di là e poi ridiscesi nel villaggio.

Passando innanzi alla farmacia vidi l'amico Bazzetta al suo banco. Il desiderio di trovare almeno una delle vecchie conoscenze mi spinse da lui.

Stentò a riconoscermi.

Ma poi, appena fatti i convenevoli, appiccò discorso come se ci fossimo lasciati il giorno prima.

Gli chiesi:

— Quanto è che Don Luigi?...

— Cinque anni, e fu un gran danno per Sulzena: invece della tolleranza, della carità di quel brav'uomo...

Non s'accorse dell'ironico sorriso che a quest'elogio postumo mi contrasse le labbra.

— ..... Abbiamo l'ultramontanismo spilorcio e fanatico di Don Sebastiano.

E senz'altro s'avviò a narrarmi le lotte intestine di Sulzena, in cui egli solo teneva testa al presbiterio e al sindaco alleati.

Io non gli credevo gran fatto; domandai di Mansueta.

— Ah, la serva... morta. — Ma domenica ventura...

— Morta quando?

— L'anno passato al suo paese... Ma domenica ventura prenderò le mie rivincitine... le elezioni riusciranno a modo mio: sono quattro anni che lavoro per questo...

— Ve lo auguro, dissi io con un'aria annoiata e mi alzai.

— Sor Emilio, disse con una certa premura, — non accetterebbe un bocconcino, un pezzettino di manzo.....

In quella si affacciarono due visi di vecchierella, due profili scarni, gialli, appiattiti. Erano la moglie e la figlia dello speziale: quei dieci anni avevano quasi cancellate le differenze. Erano due figure senza età precisa, due fossili veri... — Il signor Bazzetta insistè per trattenermi, egli era schietto; non gli pareva vero di smerciare le sue ciarle, — ma mi seccava troppo.

Debbo dire che Sulzena era ingrandita: notai qualche casa nuova, la capanna di Beppe era stata restaurata e vi notai la frasca e l'insegna turchina dell'osteria che quella sera memoranda del mio arrivo aveva cercato invano.

Si capirà da quel nuovo movimento di commercio che le usanze ospitali del Presbiterio erano scomparse. Feci, solo, un po' di colazione di malavoglia: il rimorso di aver voluto profanare colla curiosità inopportuna i miei cari ricordi, mi levava l'appetito.

Passai la sera a Zugliano, dove il dottor De Emma mi fe' cortese accoglienza, — e mi parlò lungamente di Don Luigi, e riparò un poco colle sue affettuose parole ai disappunti della giornata.

E Aminta?

L'estate scorsa ero in ferrovia: tra Milano e Pavia
e non so bene a quale stazione salirono due giovani
sposi. Appena il convoglio si mosse — m'ero sdraiato lungo sui cuscini, facevo le viste di dormire —
lo sposo senza tanti scrupoli allacciò la vita della
signora e cominciò a sussurrarle certe parole... che
parevano baci. — E lei ci stava.....

Non c'è per me spettacolo più avvilente di questo.

Alla prima fermata, m'alzai risoluto e feci per
discendere.

— Buon viaggio e buon divertimento, signori, dissi
nel passar dinanzi alle due tortorelle.

La signora arrossì, ma lo sposo fe' un oh lungo
un miglio e s'alzò tanto rapidamente che i nostri
visi si toccarono.

— Tant'è, disse, e mi baciò.

Ero stupito.

— Non mi conosce? io lei l'ho sentito alla voce...
Aminta.

— Oh Aminta!

— È questa la mia sposa.

— Ho visto — dissi.

E ridemmo tutti e tre.....

Aminta mi disse che andava a Roma dove aveva
un impiego al ministero della publica istruzione. Era
sposo, era felice, era allegro.

Eppure quella sua gioia tanto naturale mi faceva
pena perchè mi pareva una irriverenza verso le tristi
memorie che il suo incontro mi suscitava nell'animo.

FINE.